DU MÊME AUTEUR

Un dieu chasseur, roman, Presses de l'Université de Montréal, 1976; Éditions La Presse, 1978; *Creatures of the Chase*, traduit par John Glassco, McClelland and Stewart Limited, 1979.

Les Chevaliers de la nuit, roman, Éditions La Presse, 1980.

«M. Thouin», nouvelle, in *Le Fantastique*, La Nouvelle Barre du Jour, nº 89, 1980.

L'Étranger au ballon rouge, contes et nouvelles, Éditions La Presse, 1981.

Parc Lafontaine, roman, Libre Expression, 1983.

«L'Île taboue», in *Dix contes et nouvelles fantastiques*, Les Quinze éditeur, 1983.

Érica, roman, Libre Expression, 1984.

«The Red Boots», nouvelle, in *Intimate Strangers*, Penguin Books, 1986.

Les Esclaves, nouvelle, Les Herbes Rouges, nº 158, 1987.

«Tête de cochon!», nouvelle, in *Depuis 25 ans*, Les Presses Laurentiennes, 1987.

JEAN-YVES SOUCY

La Buse et l'Araignée

récits

LES HERBES ROUGES

Éditions LES HERBES ROUGES
900, rue Ontario est
Montréal, Québec H2L 1P4
Téléphone: (514) 525-2811

Maquette de couverture: Jean Villemaire
Illustration de couverture: Alex Colville, *Enfant sautant à la corde*, 1958
Photo de l'auteur: Jacques Grenier

Photocomposition: Atelier LHR

Distribution: Québec Livres
4435, boulevard des Grandes-Prairies
Saint-Léonard, Québec H1R 3N4
Téléphone: (514) 327-6900, Zénith 1-800-361-3946

Réplique Diffusion
66, rue René-Boulanger, 75010 Paris, France
Téléphone: 42.06.71.35

Dépôt légal: premier trimestre 1988
Bibliothèque nationale du Québec
Bibliothèque nationale du Canada

ISBN 2-920051-39-3

À Carole Massé
dont l'écriture balise les ténèbres.

Vous découvrez que ce que vous aviez l'habitude d'appeler «ténèbres»: nos violences, nos passions, nos haines, nos démons, n'est pas moins digne d'être éclairé, et d'entrer en composition avec la culture, *que l'amour, la bonté, la générosité, la raison.*

Marcel MOREAU,
Monstre

La Buse

Alors, je voyage en corde à danser.

Un, deux, trois, quatre,
Ma p'tite vache a mal aux pattes,
Tirons-la par la queue,
Elle deviendra mieux.

Le bout de mes pieds effleure à peine le sol, et presque tout le temps, je flotte dans l'air. *Shlak! Shlak! Shlak!* La corde sur le ciment de l'allée. Comme un bruit d'ailes qui battent. Je suis un grand oiseau qui chasse. À la télévision, j'ai vu une buse qui volait au-dessus d'un champ pour trouver des mulots. Ses ailes arrondies imitaient le son d'une corde à danser sur un trottoir. Chaque jour après l'école, je me rends au parc avant que maman revienne du travail. Je me transforme en buse aux serres pointues. *Shlak! Shlak! Shlak!* Je cherche des mulots.

Là! Un vieux monsieur sur un banc. Gibier. Je passe devant, repasse, me rapproche imperceptiblement, de même façon que la buse enveloppe sa proie de cercles concentriques. Il me regarde à la dérobée. Je saute plus haut afin que ma jupe voltige et dénude mes cuisses. Passe, repasse. Ses regards chauds sur moi. Directs quand je lui tourne le dos, tapis sous ses cils quand je viens dans sa direction. C'est ainsi que les rongeurs doivent observer leur prédateur, en se croyant invisibles pour lui. Yeux perçants de l'oiseau de haut vol auxquels on ne peut se soustraire. Je vois le monsieur, même derrière ma tête.

Shlak! Shlak! Shlak! Je fais du surplace devant lui, le dévisage. Il me sourit. Imperturbable, je danse, croise la corde, la décroise, modifie le rythme. Toujours je le fixe droit dans les yeux. Gêné, il veut détourner la tête mais mon regard le paralyse. Pénètre en lui, le fouille, atteint le tréfonds de l'âme. La retourne. Une âme réversible. Imprimée à l'endos, la face de la bête. Je lui révèle ce qu'il ignorait de lui-même. Il rougit, il a honte: je sais à quoi il pense. Et il sait que je sais. Il n'ose plus admirer mes jambes. Il voudrait partir; l'en empêche la musique de mes ailes qui le méduse.

Shlak! Shlak! Shlak! Le temps s'écoule, le monsieur angoisse. Sueur au front, mains qu'il frotte compulsivement. Il regarde alentour, quête de l'aide. Personne ne s'occupe de nous. Il est seul et sans défense.

Un, deux, trois, quatre,
Ma p'tite vache a mal aux pattes,
Tirons-la par la queue,
Elle deviendra mieux.

Il essaie encore de sourire. Ne rencontre que mon visage fermé et mes prunelles qui le vrillent. On dirait qu'il va pleurer. D'un coup, je lâche ses yeux et contemple sa fourche avec intensité. Ses jambes frémissent, comme s'il se préparait à s'enfuir à la course. Mais il reste là, écrasé par moi, luttant contre lui-même. Toujours mon regard fiché au bas de son ventre.

Tirons-le par la queue,
Queue, queue, queue,
Il deviendra mieux.

Désarroi sur sa face. Et en même temps, ses narines palpitent, ses yeux cillent, ses lèvres balbutient en silence. Il croise et décroise les jambes, pose ses mains sur ses cuisses. Pour se protéger. De lui-même. De moi, la buse, maîtresse de sa terreur. Alors qu'il ne s'y attend plus, je glisse sur l'aile, vire en planant et m'éloigne par battements saccadés. J'entends qu'il soupire derrière moi. Il se croit sauvé! Je parcours l'allée de béton qui serpente dans les buissons et s'arrête contre un appentis où elle forme une petite clairière. Un endroit secret, mon nid de buse. Sans me poser, je pousse mon cri de chasse qu'on méprend si aisément pour un appel d'amour.

Un, deux, trois, quatre,
Ma p'tite vache a mal aux pattes,
Tirons-la par la queue,
Elle deviendra mieux.

Ensuite, il n'y a plus que le sifflement de mes rémiges qui noie la rumeur des voitures autour du parc. *Shlak! Shlak! Shlak!* Dans les branches, un pas hésite. Le mulot débouche dans mon aire, inquiet, s'immobilise, bras ballants, fasciné par la gymnastique de mon vol. Visage amical, voix incertaine:

— Bonjour, comment t'appelles-tu?

Je fais non de la tête sans m'arrêter de danser. Maman m'interdit de parler aux étrangers.

— Veux-tu des bonbons?

Encore un signe de négation.

— Si tu es gentille, je vais te donner des sous.

Toujours non. Maman m'a dit de ne pas accepter de cadeaux des messieurs que je ne connais pas. Même de ceux que je connais. Des années de cela, mais je continue d'obéir. En trichant un peu: j'agrée des choses qui ne se voient pas. Ou plutôt, je prends.

Shlak! Shlak! Shlak!

Le parfum de sa frayeur épaissit l'air. Son visage reflète le vert du feuillage. J'aime le trouble des vieux messieurs qui les fait ressembler à des enfants sur le point d'éclater en sanglots. Ils sont aux prises avec quelque chose qui les dépasse et contre lequelle ils se savent impuissants. Le vieux espère que je vais me fâcher, lui crier de ficher le camp ou moi-même m'en aller. Je souris d'un air entendu, et il frissonne, conscient que déjà son sort est joué. Le mulot meurt peut-être juste avant d'être happé par les serres. Volant toujours, je fais un signe de tête, et le monsieur avance à regret, s'arrête tout près, attend. Attend.

Soudain, d'un coup de menton, j'indique sa fourche. Panique! Il tourne la tête d'un côté et de l'autre, cherchant un chemin de fuite, mais demeure immobile, cloué sur place par ma volonté. Mes ailes se ferment. Griffes en avant, je plonge, frappe, empoigne. La bosse dans son pantalon. Il geint et grince des dents, comme si je le déchiquetais. Sa chair pourtant reste intacte; c'est dans la tête que je le lacère. Et peut-être qu'en un éclair il anticipe le malheur qui sera sien ensuite. Vite, avant qu'il ne se ravise, je défais sa braguette, sort sa queue alors qu'elle est encore souple. Je la secoue, l'étire, l'écrase; elle grossit, allonge, durcit. Je touche l'homme en épiant son visage qui m'intéresse plus que son sexe. Effarement, anxiété, remords, alarme; et le désir qui peu à peu efface le reste.

Alors, je le branle en comptant mentalement les coups. Vingt, trente, quarante, cinquante. On dirait qu'il a de la fièvre. Cinquante et un. Ses genoux s'entrechoquent. Cinquante-six, cinquante-sept. Sa mâchoire tombe, il halète. Cinquante-neuf, soixante. Il râle, se reprend, écoute les sons que porte le vent. Crainte qu'on nous surprenne. Soixante-quatre, soixante-cinq. Il pose les yeux sur moi, souhaitant que je brise cet intolérable silence. Ou qu'au moins, je paraisse prendre intérêt à la chose, curiosité ou amusement. Non! Aucun sentiment visible.

Je suis une bête de proie; lui, un mulot. Sa queue mollit. Pour ne plus apercevoir mon air sévère, il se réfugie derrière ses paupières. Soixante-neuf, soixante-dix. Son pénis se remet à bander. Soixante-treize, soixante-quatorze. Sa face se contracte. Entre ses lèvres pincées coule une plainte qu'il essaie d'étouffer. C'est tout son corps qui tremble au moindre mouvement de mes mains. Ça doit grelotter aussi fort dans sa tête.

J'aime l'avoir ainsi en mon pouvoir, l'enlever dans les hauteurs du plaisir et soudain le lâcher. Comme parfois la buse laisse retomber sa proie au sol. Par jeu, pour la joie de replonger, de la capturer une deuxième fois. Délaissée, la queue au gland mauve bat toute seule. Les yeux du monsieur se dessillent. Ahurissement! Il supplie: «Continue... juste un peu...» Butée, je ne bouge pas. «Allez, sois gentille. Encore un p'tit peu. Je te donnerai un dollar. Deux. Tout ce que tu voudras.» D'une main brusque, il agrippe mes cheveux. J'ouvre la bouche, gonfle ma poitrine et fais mine de vouloir hurler. Il me libère. Un chien que son maître s'apprête à battre! Il se dépêche de me rassurer: «Non! Non! Ne crie pas. Regarde, je suis gentil. N'aie pas peur, je ne te ferai pas de mal. N'aie pas peur.»

N'aie pas peur... Trop drôle! C'est lui qui chie dans sa culotte! C'est bon, sa peur. Me vient dans la bouche le goût d'un nougat praliné. J'expire profondément, et son cœur recommence à battre. Il va ranger sa queue dans son pantalon; je l'intercepte, la reprends et la masturbe à grands coups. Il s'étonne, n'ose y croire. Quatre-vingt-six, quatre-vingt-sept. Ça y est, le plaisir l'emporte. Mais... je ralentis le rythme! Son bassin se balance pour animer le pénis entre mes doigts. Son être tout entier m'implore de le délivrer de l'insoutenable tension. Alors, j'enserre sa viande avec force; mon poing heurte son ventre.

Il mord ses lèvres pour ne pas crier. Quatre-vingt-douze. Râle. Il va mourir. Quatre-vingt-treize. J'éclate de rire, et il murmure «chut! chut!» à travers ses vagissements. Je rigole de plus belle. Frousse sans borne et incapacité de s'arracher à ma prise. Il chancelle. Une première goutte apparaît au sommet du gland, se gonfle. Spasme. Un trait blanc fuse, et je lâche la queue avant même qu'il n'ait atteint le sol. Je recule et laisse l'homme en plan. Sa verge oscille, cherchant la main qui la soulagerait. Le monsieur constate que je me moque de lui. Horreur! Il aimerait me tuer! Le désir s'éteint, cependant ses testicules sont toujours en feu. Il comprend qu'il n'y a pas de pitié à attendre de moi, que je ne le toucherai plus. Il se résout à se vider lui-même de son sperme en grimaçant. Que ce doit être terrible pour un vieux monsieur de se branler devant une fillette au regard ironique...

— Salope! Petit monstre!

Je me remets à danser en chantant à tue-tête.

Un, deux, trois, quatre,
Ma p'tite vache a mal aux pattes,
Tirons-la par la queue,
Elle deviendra mieux.

Il se reculotte en vitesse. Il ne décolère pas et dit entre ses dents:

— Cesse de sauter, c'est agaçant. Tais-toi! Non, mais vas-tu te taire à la fin!

Je ricane et lui tire la langue. La trouille s'empare de lui et il se radoucit.

— Tiens, prends ce dollar. Allez, prends-le.

Maman m'a interdit... À plus forte raison, l'argent des vieux vicieux! Mon salaire est d'une autre nature.

— Je suis ton ami, hein? Tu ne diras rien à personne. C'est un secret entre nous. Les amis ont des secrets. Tu es une bonne fille. Tu es très belle. Un secret, hein?

Mon mutisme obstiné l'insécurise au plus haut point, et il file sans rien ajouter. Je le suis de près, en modulant mon chant.

Un, deux, trois, quatre,
Ma p'tite vache a mal aux pattes,
Tirons-la par la queue,
Elle deviendra mieux.

J'adore le voir décamper et je me lance à ses trousses. Il jette des coups d'œil craintifs sur le parc. *Shlak! Shlak! Shlak!* Ce bruit d'ailes lui fait hâter le pas. J'accélère, le dépasse et vole à reculons devant lui. Et alors, je lui parle pour la première fois. D'une voix que je fais jeune:

— Pourquoi y a du lait qui coule de ta queue?

Il blêmit et marmonne:

— Va-t-en! Laisse-moi tranquille.

Il voudrait m'échapper, mais je lui bloque la route, le ralentis.

— T'aimes ça te faire toucher par les petites filles?

Visage cramoisi. Peut-être va-t-il s'effondrer, là sur l'allée de béton? crever d'une crise cardiaque?

— Est-ce que ta femme le sait que t'es un *pé-do-phile*?

Quand je lâche ce mot, en détachant bien les syllabes, tous les vieux perdent la tête. Ils détalent à travers le gazon, ou bien m'engueulent à voix basse, ou encore se mettent à pleurer silencieusement. Quelle que soit leur réaction, je demande:

— Tu reviendras pour que je te *mas-tur-be*? Tu n'voudrais pas que je te *fel-la-tion-ne*?

Ce sont mes mots qui les précipitent dans l'épouvante. Par eux, ils réalisent que je ne suis pas innocente, que je les ai manœuvrés depuis le début, qu'ils sont des victimes en même temps que des coupables. Et cela décuple leur terreur.

Je les reconduis jusqu'à l'orée du parc de mon vol insistant et avec cette chanson qu'ils ne pourront jamais plus entendre sans être glacés d'effroi.

Un, deux, trois, quatre,
Ma p'tite vache a mal aux pattes,
Tirons-la par la queue,
Elle deviendra mieux.

Quand j'ai croqué un mulot, je rentre directement chez moi. Je me lave les mains par trois fois, en frottant très fort, puis je les enduis de crème parfumée. L'odeur du pénis me dégoûte, celle du sperme encore plus. Mais comment l'éviter? Sans doute qu'il y a des buses qui détestent avaler le poil des mulots; pas moyen de faire autrement, sinon elles meurent de faim! Ce qui n'est pas leur genre.

On appelle «buse» une personne sotte et ignorante. C'est injuste pour ces oiseaux qui sont intelligents, rusés et, en plus, d'une grande beauté. Je sais tout des buses, ces rapaces diurnes de l'ordre des *Falconiformes*, de la famille des *Accipitridae*. La buse pattue, la buse boréale, la buse à queue rousse, la petite buse, la buse de Swainson, la buse rouilleuse... Moi, je suis **la** buse. L'âme de cette espèce, sa *quintessence*.

Ce mot-là, je l'ai découvert il y a quelques jours et je viens de le repêcher du cahier où je note les trouvailles qui me plaisent. Maintenant que je l'ai utilisé, il est en moi à jamais, à moi. Les mots, c'est ma passion, ma vraie nourriture. Je lis beaucoup. Des encyclopédies, des romans, le dictionnaire surtout. Déjà, je connais plus de mots que la plupart des adultes et je sais comment les utiliser. C'est parfois plus pointu et tranchant que des serres, les mots. Avec eux, on peut attirer, attacher, blesser, repousser, écraser. Souvent, mon professeur, ma mère ou quelqu'un d'autre, s'ébaubit de la richesse de mon vocabulaire. S'ébaubit et s'alarme.

Fascinants, les mots. Ils ont chacun leur personnalité. On rencontre parmi eux des agressifs, des doux, des violents, des peureux, des tendres, des impropres, des triviaux, des vantards, des menteurs. Ils ont une famille, de la parenté, des amis, des rivaux: synonymes, homonymes, paronymes, antonymes. Ils mènent des vies plus ou moins réussies (barbarismes et solécismes ou mots nobles et expressions relevées), tantôt regroupés en bandes que l'on qualifie de locutions vicieuses ou de tournures argotiques, tantôt rassemblés en petites coteries qui ont nom grandiloquence ou maniérisme. L'existence n'est pas facile pour les mots que le commun des parleurs maltraite à tour de langue ou, au mieux, néglige. Pas assez de travail pour tous: ce sont toujours les mêmes qu'on emploie, souvent à des tâches auxquelles ils sont inaptes. Quant à la majorité, elle croupit dans le chômage; plusieurs sombrent dans l'oubli, certains en meurent.

Dans le dictionnaire, c'est simple de traquer les mots. On en choisit un, au hasard ou par goût, et ensuite on va à tous les autres auxquels il renvoie. Par exemple, à partir de «sexe», mon Robert me guide à androgyne, hermaphrodite, intersexué, zizi, chatte, reproduction. Ce dernier substantif me relance vers coït qui me fait rebondir à copulation d'où j'aboutis à mère. On voyage, porté par les sens. Le dictionnaire regorge de sentiers qui se croisent et s'entrecoupent. Un labyrinthe où il est agréable de se perdre, un dédale où l'on bute à chaque pas sur des pierres précieuses. Le monde entier est contenu dans le dictionnaire, l'Histoire, les sciences, les arts. J'apprends sans cesse, je retiens, et un jour, je saurai **tout**.

À l'école, c'est moi la meilleure. En français surtout. Dans mes compositions, je glisse des mots rares ou tombés en désuétude. Parfois, la maîtresse m'accuse de m'être fait aider par un adulte ou d'avoir copié dans un livre. Je rétorque: «Oui, j'ai copié. Dans le dictionnaire.

C'est défendu?» Ça lui en bouche un coin, d'autant plus qu'elle nous répète sans cesse de l'utiliser, notre dictionnaire. Elle se ressaisit, puis, rayonnante, me cite en exemple aux autres filles qui me détestent alors un peu plus. Détestent, envient ou jalousent, ça dépend. Quelques-unes, qui m'aiment, tirent orgueil de ma supériorité. Quand on m'agace ou me taquine, je réplique avec promptitude, terrasse l'adversaire d'une phrase cinglante. J'ai toujours le dernier mot. Pauvres filles! C'est terrible de se faire traiter de *béotienne* et d'ignorer ce que ça signifie...

Les mots, c'est le savoir; et le savoir, le pouvoir. J'ai déjà compris ça. Mais les mots, je les aime également pour eux-mêmes. Pour leur beauté, leur couleur, leur sonorité. Récemment, j'ai déniché *véloce* qui se terrait entre «vélo» et «vélocement». J'ai plaisir à le répéter, car il glisse sur la langue comme un bonbon arrondi à force d'être sucé. Me plaisent aussi les rocailleux qui craquent sous la dent tels des chips, et les onctueux qui collent au palais à l'instar du beurre d'arachides. Et des fois, j'en invente des mots, surtout des onomatopées qui imitent le bruit des choses. *Vli, vli, vli*, c'est le froissement du prépuce sur le gland quand on branle une queue. *Pfout! pfout! pfout!* le son du sperme qui jaillit.

Il y a des mots qui me font rêver, d'autres qui me répugnent, certains qui m'excitent, quelques-uns qui m'en imposent. Celui que je préfère entre tous, c'est «alors». Il peut tout expliquer, sans vraiment rien dire, parce qu'il implique des choses survenues avant lui. Une histoire d'avant l'histoire. Si j'avais écrit les contes de fées, j'aurais toujours commencé par «Alors...» plutôt que «Il était une fois...». *Alors, le prince charmant arriva sur son cheval...* D'où venait-il? Qu'avait-il fait avant? Quel rapport avec ce qui allait se produire? Toute une vie, tout un passé contenus dans un seul mot. Et qu'il faut imaginer. *Alors, naquit un enfant...* «Alors» signifie qu'il y a une explication à cette naissance. Quelque chose de sous-entendu, de caché: le moment où on l'a conçu. Ça peut être aussi bien un viol qu'un merveilleux roman d'amour.

Ce n'est pas tous les jours que je trouve un mulot. Et quand j'en ai levé un, ça peut prendre une semaine avant d'être en mesure de le gober. Les après-midi où je n'ai pas les paumes tachées de l'odeur du pénis, c'est-à-dire la plupart du temps, j'arrête chez les Saint-Arnaud, les concierges, en rentrant du parc. Rosemonde est une femme joufflue, une obèse toujours à court de souffle, qui mange sans arrêt et m'adore. Elle me sert immanquablement une collation car elle me trouve maigrichonne, et comme elle est polie, elle m'accompagne à table: s'ouvrir l'appétit pour le souper!

Son mari ne me regarde pas. Il se méfie de mes mots, surtout en présence de Rosemonde. S'il me rencontre dans l'escalier ou un couloir, il reste sur la défensive mais s'efforce de plaisanter, s'essaie à l'amitié. Sa peur empeste la transpiration. Parfois, il me touche le bras et, avec timidité, murmure: «Tu ne voudrais pas que...?» Je réponds de ma voix la plus suave: «Non! Ce n'est pas bien. Maman ne veut pas.» Dans sa face couleur de neige sale, les yeux s'exorbitent: «Ta mère? Tu ne lui as pas dit que... que...» Je ris: «Que tu as une grosse queue rouge?» Alors, il se sauve en claquant des dents.

Je suis très sensible à la couleur des visages, je veux dire, aux variations subtiles et fugaces de ces teintes. J'y discerne le reflet des sentiments intérieurs. À l'encontre de la bouche et, à un degré moindre, des yeux, les joues ne savent pas mentir. À ce niveau, le concierge est un véritable phénomène: j'ai déjà vu sa tête devenir un arbre de Noël plein de lumières clignotantes!

Quand je viens chez lui, et qu'il veut sortir, Rosemonde lui ordonne de rester. «On a d'la visite. Et t'as rien d'urgent à faire.» Comme il aimerait éviter ma compagnie! Je minaude: «J'aime ça quand vous êtes là, M.

Saint-Arnaud.» Rosemonde exulte; elle apprécie que les gens qu'elle aime s'accordent. Il fume sa pipe en se berçant, les pommettes bleutées par la fumée. Tandis que je parle avec la femme qui bouffe, je pique des clins d'œil discrets à son homme; sous la table, je relève ma jupe, et il ne peut faire autrement que voir mon fond de culotte.

Innocente: «Tu n'as pas eu d'enfants, Rosemonde?» Elle répond par un soupir navré. «M. Saint-Arnaud n'aurait pas aimé ça avoir une petite fille comme moi?» Il sue à grosses gouttes et joue avec sa pipe éteinte. Rosemonde lui dit: «Eh bien, Rodolphe, réponds!» Il bredouille quelque chose qui veut dire oui. Alors, je m'assois sur ses genoux et lui demande de me bercer comme s'il était mon papa. Rodolphe me berce; Rosemonde nous observe avec des regards attendris. Je veux une chanson. Il refuse. Rosemonde lui commande de chanter quelque chose. *La Poulette grise*, c'est tout ce qu'il connaît. Il chantonne d'une voix monocorde, sans y prendre plaisir; il sait bien que je me paie sa tête. Rosemonde s'émeut, qui ne s'aperçoit pas qu'avec mes fesses osseuses j'excite le sexe de son mari. Une masse durcit sous moi. En redescendant, j'effleure ou pince le renflement. M. Saint-Arnaud devient un lilas en fleurs, y compris les mouchetures vertes des feuilles et le ronflement des abeilles. Il croise les jambes pour dissimuler la preuve de sa lubricité.

Il me déteste et se trouve dans l'incapacité de le dire, même de le laisser paraître, sa terreur étant plus grande que sa haine. Au contraire, il doit rester aimable avec moi qui me conduis en petite peste. Je suis la plus forte, encore plus forte parce qu'il me désire toujours. C'est la seule de mes anciennes victimes que je revois. D'abord, c'est difficile de faire autrement, et puis, vu que je l'ai sous la main, je le garde en réserve pour les temps de disette.

J'ai la clé de l'appartement, je n'aurais pas à attendre maman chez les concierges; mais je déteste le faire chez nous. Nulle crainte des intrus ou de la solitude. Rien que du vide que crée son absence, vide d'autant plus menaçant que le retour de maman est proche. S'il n'avait pas lieu! D'être à l'extérieur, en société, atténue mon angoisse: dans l'appartement je n'ai ni ailes ni serres, je suis vulnérable. La force, elle nous vient des autres, de leur faiblesse relative.

Avant de retrouver maman, j'ai l'impression que tout sera à recommencer ou, pire, qu'il n'y a jamais rien eu entre nous auparavant, sinon dans mon imagination. Pourquoi se préoccuperait-elle de moi, si maladroite, si laide? comment pourrait-elle m'aimer? Et chaque fois, un miracle se produit! Elle m'appelle sa chérie, m'ouvre les bras. Mon corps s'approche du sien sans que mes pieds aient à bouger. Magnétisme. Elle m'enlace, j'enserre sa taille, nos lèvres se rejoignent.

Maman! Le soleil brille tout à coup, quel que soit le temps dehors; le printemps s'épanouit, peu importe la saison. En moi, un brasier s'allume. Mon être roucoule. Des musiques de fête dans ma tête, des lâchers de ballons, des feux d'artifices. Maman! La fin du monde n'est pas encore pour aujourd'hui.

Pour elle, c'est comme si l'éloignement n'avait pas occasionné d'hiatus, alors que moi j'en avais presque fait mon deuil. Je voudrais que nous ne nous quittions plus jamais et, à l'instant même de me blottir contre elle, déjà je subis les affres de la prochaine séparation. Si cette fois je n'allais pas réussir à la reconquérir? Je l'aime plus que tout au monde, plus même que ma vie, et je ne pourrais lui survivre. C'est pourquoi je dors dans son lit le plus souvent possible. Je m'éveille dix fois par nuit pour m'assurer que tout va bien, qu'elle respire régulièrement, qu'elle n'est pas malade, qu'elle n'est pas partie. Qu'elle ne murmure pas le nom d'un autre dans son sommeil.

L'intolérable, ce serait qu'elle se détourne de moi et

m'oublie. Travail, amis, parenté: je redoute chaque fois qu'elle ne retrouve plus le chemin qui la ramène à moi, qu'elle n'entende pas mes appels muets ou ne veuille plus les entendre parce que lassée de mon amour. Parfois, j'invente des scénarios de rupture et d'abandon qui me plongent dans l'angoisse la plus vive; et je sonde le désespoir qui serait mien s'ils se concrétisaient. Tant qu'à la perdre, j'aimerais mieux la savoir morte; là au moins, je pourrais la rejoindre.

Je n'entretiens jamais longtemps, ni très souvent, pareilles pensées. Rien qu'à l'occasion, pour meubler l'attente, jouir de la peur et, ensuite, du soulagement qu'elle ne soit pas fondée. Car en réalité, je suis une nécessité pour maman: amour et vie. Elle me le répète fréquemment. Sa chair, son bébé, sa grande fille, son amie, sa sœur, sa complice. Bien... ce ne sont pas les mots exacts qu'elle emploie, plutôt ce que je déchiffre dans la carnation de ses pommettes.

Elle m'élève seule, et parce qu'elle se montre raisonnable, je m'arrange pour ne pas la décevoir, ne pas lui causer d'inquiétude. J'ai de bonnes notes en classe, pas de mauvaises fréquentations, je ne traîne pas les rues. Je fais tout pour lui rendre la vie facile et agréable. Et je l'incite à prendre le temps de s'occuper d'elle-même, d'entretenir sa beauté si grande. Il faut qu'à tout moment, elle sente la force et la constance de mon amour. C'est vital. Après le drame affreux qu'elle a vécu...

Elle ne mesure pas combien elle a besoin de mon appui, ni à quel point je l'ai aidée à assumer son autonomie retrouvée. D'ailleurs, comment pourrait-elle soupçonner que cette autonomie et le bonheur qui en découle lui viennent de moi! Et c'est bien ainsi, sa confiance en elle-même n'en est que plus grande. L'être aimé n'a pas à sentir le soin jaloux qu'on prend de lui. Gratuité du don. En dépit de mon désintéressement, je suis pourtant mille fois payée de retour: elle m'appartient.

Pendant que le repas mijote sur le feu, maman change de vêtements et se maquille de frais. Je sais ce que cela signifie.

— Sophie, nous avons de la compagnie pour souper. Je reçois un ami.

— Comment s'appelle-t-il, celui-là?

— Voyons, Sophie! *Celui-là*. Comme si j'en avais tant que ça!

C'est vrai qu'elle a jamais beaucoup d'amis. Elle n'arrive pas à les conserver. Beaucoup d'appelés, peu d'élus! Ils semblent se plaire chez nous, trouvent ma mère à leur goût, mais on ne les revoit plus. Ou rarement. Curieux...

— Il s'appelle Marcel et c'est un dentiste. Tu verras, il est charmant.

Son charme, je m'en moque! Elle n'a pas besoin d'amis; je devrais lui suffire. On sait bien, je n'ai pas de queue, moi! Bon, bon... Je serai charmante avec son type charmant. Je le suis toujours. Une politesse exemplaire, une belle éducation. Et il dira à ma mère: «Quelle fille adorable tu as! Si bien élevée. Et d'une intelligence remarquable. À l'entendre parler, on ne croirait pas qu'elle n'a que dix ans.» Et maman sourira, rêveuse, nous imaginant déjà formant une petite famille... La dernière chose au monde que je souhaite! Un homme... Hein! ils sont tous pareils! Des lapins, dans les deux sens du terme: chauds et froussards.

D'abord, il sera flatté par mes attentions; mais bientôt il deviendra mal à l'aise en constatant qu'il s'agit d'une entreprise de séduction. Il ne pourra plus me voir en enfant; j'aurai franchi les bornes frontalières, il sentira que c'est une petite femelle en chaleur qui le zieute et il s'énervera. *Femelle en chaleur!* Qu'est-ce qu'il s'imagine? S'il savait à quel point je l'exècre, lui et ses semblables!

Je lui montrerai, d'une façon en apparence fortuite, mes cuisses et mes fesses. Et ma fente: lorsque vient un homme à la maison, je retire ma culotte. Il regardera en catimini, curiosité qui ne m'échappera pas car je serai redevenue buse. J'irai un peu lui touiller l'âme. Et quand il sera à point, c'est-à-dire que sa conscience lui reprochera d'éprouver un intérêt de cette sorte pour le corps d'une fillette, je lui enlèverai toute illusion sur ma soi-disant innocence. Je fixerai constamment l'enfourchure de son pantalon, sans qu'il puisse feindre de l'ignorer. Comme un arbre l'automne, il rougira ou jaunira, selon son espèce.

Ces grandes manœuvres, je les exécute dans le dos de maman qui, ne percevant pas la nature de ma coquetterie, dira à son invité: «Je pense que Sophie t'aime bien. Elle t'a déjà adopté.» Lui, saura qu'il s'agit de toute autre chose, et une frayeur très grande lui viendra de voir qu'il ne peut compter sur la protection de ma mère. Avant que je me mette au lit, il m'aura admirée dans mon baby-doll le plus transparent; ensuite, s'il passe devant ma chambre, en route pour les toilettes, j'ouvrirai la porte afin qu'au retour il me voit dévêtue, et que je surprenne son indiscrétion.

Ou bien, je profiterai de ce que ma mère est sortie jeter un sac dans le vide-ordures, pour le rejoindre au salon et m'exhiber, flambant nue, en lui demandant comment il me trouve. Un «très jolie...» ravalé en baissant les yeux. Ou pas de réponse, et le visage qui se détourne, écarlate. Ou encore la bouche qui bée, le regard qui devient vitreux, les joues qui verdissent. À moins que le type, en proie à la culpabilité (m'aurait-il encouragée en répondant inconsciemment à mes avances tellement explicites? un regard complaisant... une réaction pas assez outrée...) ne m'exhorte à aller vite me cacher avant que ma mère ne revienne. À son corps défendant, je nous aurai faits complices.

La plupart du temps, mon accueil du premier soir les incite à ne plus paraître chez nous. Parfait! C'est moi qui dort avec maman et réchauffe ses pieds, glacés été comme hiver. S'ils se pointent une deuxième fois, alors je fais en sorte que ce soit vraiment la dernière. Les grands moyens. J'adore ça! En pleine nuit, je pénètre dans la chambre où ils dorment. Maman avale chaque soir des somnifères, et je sais qu'il est à peu près impossible de la réveiller, à moins de la gifler et de la secouer un bon moment. Ses visiteurs occasionnels, eux, ignorent cette donnée.

Je vais du côté de l'homme, écarte les couvertures et caresse sa queue. Très délicatement. Quand un homme roupille, il suffit de peu pour qu'il bande. Aucune pensée ne le distrait, aucune morale ne le retient. Une réponse instantanée, semblable à celle d'un chien mâle qu'on masturbe. Je sais de quoi je parle; notre ancienne voisine de palier avait un Labrador... Pendant que je joue avec son membre, l'homme doit se bâtir des songes érotiques, imaginer qu'il est encore dans le vagin de maman ou devenir pacha au milieu d'un harem de belles courtisanes. Peut-être même rêver que je le branle! Il bande encore plus et s'agite dans son sommeil. Peu après, il s'éveille, croit que c'est ma mère qui le touche, et marmonne «continue, c'est bon!» ou «tu en veux encore, ma gourmande?»

Lorsqu'il découvre qui le manipule, il sursaute, écarquille les yeux, deux taches blanchâtres dans la pénombre, regarde du côté de ma mère avec inquiétude et tente finalement de me repousser. Trop tard! J'ai profité de ses secondes d'hésitation, alors qu'il était encore seulement à demi-conscient, pour le masturber avec plus d'insistance. Maintenant, il est prisonnier de son désir, en mon pouvoir. Il me demande d'arrêter. Mollement, sans autorité. Et je poursuis mon travail. Peut-être soufflera-t-il encore que ce n'est pas bien, qu'il ne faut pas, mais c'est plus fort que lui, le plaisir dissout sa volonté, et bientôt, son corps court après la jouissance. J'ai entendu déjà dans l'autobus un garçon qui avouait à un ami des jeux sexuels avec sa sœur cadette et concluait: «Pissette bandée n'a pas de parenté!» Parole de sage.

Si l'homme propose d'aller dans ma chambre ou veut m'attirer dans ses bras, je refuse à voix haute. «Chut! Chut!» Nouveaux regards anxieux vers ma mère, exhortations au silence. Cependant, quand survient le point de non-retour, je fredonne *Ma p'tite vache a mal aux pattes*. Il me regarde sans comprendre, trop «parti» pour protester.

Je le fais éjaculer avec violence, et c'est tellement drôle de le voir tenter de demeurer immobile, mordre son poing pour ravaler ses cris. Tantôt, il ne s'était pas gêné pour gueuler «c'est bon! c'est bon!» ou se plaindre «je viens! je viens!» À tel point que maman l'avait grondé: «Pas si fort, la petite dort juste à côté.» Pourtant, elle aussi échappe des gémissements, et la petite ne dort jamais quand un homme couche avec sa mère. La petite écoute et se demande pourquoi sa mère aime tant avoir une queue en elle. C'est gros et laid. Et ce liquide gluant à l'odeur fétide!

Quand l'homme a déchargé sur son ventre, il reste stupéfié. Son corps, un bloc de glace; on dirait que mes mains le brûlent, et il éloigne d'elles sa peau. Il n'ose me dévisager, fixe le plafond en attendant que je parte, observe du coin de l'œil le sommeil de ma mère. Il respire lentement afin de reprendre son souffle sans faire de bruit. Il a la trouille, une trouille aux relents de sperme qui s'évapore. C'est pour goûter sa peur que je reste, sa peur, c'est ma jouissance à moi. Mon orgasme, c'est quand je lui demande très fort: «T'aimes ça que je te masturbe?» Ou que j'essaie de réveiller maman en appelant son nom. Panique, prières, promesses; la lune, si je voulais! C'est même arrivé que l'un d'eux se rhabille en deux temps trois mouvements et joue la fille de l'air au milieu de la nuit.

Je me suis glissée à sa place; le parfum de maman chasserait vite l'odeur du mâle. Je me suis collée contre elle; sa nudité, quelle bonheur excitant! Elle revêt toujours une chemise de nuit quand c'est moi qui dort avec elle. J'ai enserré sa taille, plaqué mes cuisses contre ses fesses. Et j'imaginais que j'avais une queue mince, longue et souple pour pénétrer en elle. Pas une pissette d'homme, plutôt une trompe de bébé éléphant. Une queue, comme le tube qu'on utilise pour les transfusions de sang, un tuyau par lequel mon être aurait coulé dans le ventre de maman.

En léchant son dos et la sueur qui n'avait pas fini de sécher à ses aisselles, je me suis endormie. Au matin, elle a fait une de ces têtes quand elle s'est retournée pour embrasser son «ami»! Son amant... J'ai prétendu ne rien savoir: il n'était pas là à mon réveil, et je m'étais installée dans le lit. Maman a paru consternée: «Je ne sais pas ce que je leur fais...» Je l'ai étreinte: «Moi, je ne te laisserai jamais tomber. Je t'aime, moi.» Ça l'a émue.

Bon, ça y est. Elle en est à la chose avec Marcel. Je les entends, devine leurs gestes, à quel stade ils en sont rendus. Je n'ignore rien du déroulement de la baise. Quand maman était encore mariée, son mari possédait des cassettes vidéo cochonnes. J'avais trouvé leur cachette et je les visionnais en revenant de l'école: des hommes, des femmes, même des animaux, tous mêlés, par deux, trois ou quatre. Très instructif quand on a six ou sept ans! Et j'ai aussi vu ça en réalité; mon oncle et ma tante, il y a deux ans, quand j'étais allée chez eux à la campagne. Par une fente du mur, on distingue moins bien qu'à la télévision, cependant le son était meilleur et pas en anglais.

Les mots du sexe, éjaculation, sodomie, fellation, cunnilingus, fornication, je les connais, et ceux qui me manquaient, je les ai débusqués dans le dictionnaire, avec la description de ce que j'avais vu. Plutôt succincte et allusive, la description, encore qu'avec de l'imagination, un mot vaut mille images. Je sais tous les mots du cul, les savants, les communs, les vulgaires, cependant avec les vieux messieurs, c'est mieux de paraître ignorante. Ça les rassure au plus haut point, les confortant dans la croyance que l'on n'est pas en mesure de juger leurs performances. Souvent médiocres, faut en convenir.

Slakatac! Slakatac! Slakatac! Le lit craque fort, la

fin approche. Comme j'entends très distinctement la voix de maman et presque pas celle du Marcel, ça veut dire qu'elle est montée dessus. Elle aime cette position. Assise sur la queue, elle fait face à ma chambre. Je ne peux pas la voir, bien sûr, à cause du mur; j'y colle mon oreille et perçois le moindre soupir. À quoi ressemble-t-elle en ce moment? Lui, je peux imaginer ses rictus (comme tous les hommes, il semble agoniser!), mais je n'arrive pas à inventer les mimiques de maman. Je revois la face des femmes des cassettes vidéo quand elles jouissaient, leurs yeux révulsés, leur bouche tordue, leur langue sortie. *Foque mi! Foque mi! Ham comine! Ham comine!* Ça ne faisait pas très naturel, elles jouaient pour la caméra. Maman ne simule pas, et je voudrais bien voir de quoi elle a l'air à cet instant précis. Elle doit être transfigurée, d'une beauté surhumaine. Déjà au naturel...

Une fois, pour en avoir le cœur net, j'ai ouvert la porte de sa chambre pendant qu'elle baisait. C'est un visage aussi blanc que le drap, et comme froissé par une grimace, qui s'est tourné vers moi, pour tout de suite se cacher dans l'oreiller. Elle s'est mise à sangloter. L'homme, Sylvain je crois, m'a crié de ficher le camp; je lui ai fait signe de se branler. Le lendemain, gênée, un peu effrayée par les mots qu'elle aurait à prononcer, maman m'a parlé de l'intimité de l'autre qu'il fallait respecter, du droit à une vie personnelle, de la normalité des relations sexuelles pour un couple qui s'aime. Un exposé sur les «mystères de la vie», quoi!

En fin de compte, pas grand-chose d'inédit... Même que j'aurais pu lui en apprendre! Sais-tu que, quand ils te mettent, tes amants ont le membre *turgide*? La sodomie, hein maman, le pénis dans l'anus? T'as déjà essayé de te faire enculer? Trois pénis à la fois, en avant, en arrière et dans la bouche, ça te dit quelque chose? Je l'ai vu à la télévision. Et le vibrateur sur le clitoris? le goulot d'une bouteille dans le vagin d'une femme attachée? Et deux filles qui se lèchent la minoune? Ça te tente pas d'essayer, une fois, rien qu'une fois, pour voir?

Oh! c'est intéressant ton histoire de petit têtard qui rencontre le gros ovule, l'œuf pondu par les ovaires. Mais tu oublies la pilule, les capotes, le diaphragme. La pénétration, un acte d'amour tu dis? L'amour, c'est entre une mère et sa fille, une fille et sa mère, à la rigueur entre un fils et son père. Le reste, c'est du cul. Une pissette dans une plotte. *Faire* l'amour? Laisse-moi rire! Ces hommes, tes amis du moment, tu ne les aimes pas. Ils ont une queue, c'est tout. Et toi, tu adores te la faire fourrer dans le ventre. Un morceau de peau dans ta peau! Je veux bien, mais ton âme... Tes baises, j'y consens, je n'ai rien pour te remplir. J'accepte que tu ramènes de temps en temps un pénis à la maison. Mais attention, pas d'attachement, change souvent, n'importe qui, la première queue venue. L'amour, c'est moi.

Tiens! Elle a joui. «Mon dieu, mon dieu, mon dieu...» Lui, pas encore. «Han! Han! Han! Han!» Il continue de la travailler en s'essoufflant. Est-ce qu'après avoir éjaculé, il sera penaud comme le monsieur au parc hier après-midi? Non, avec une femme, c'est permis. Une femme, on peut la sauter tant qu'on veut, tant qu'on peut, ça sert à ça. Pas une fille de dix ans! Même avec son consentement, ça demeure un crime, au même titre que le viol. Je suis assez vieille pour faire naître le désir, trop jeune pour être un trou autorisé: je suis dangereuse! Avec moi, ça pourrait mener en prison. Il y en a un qui en aurait long à dire là-dessus...

Les vieux du parc le savent bien. Pourtant, ils sont incapables de se retenir: l'attrait du fruit défendu. Être enfin le mâle tout-puissant... parce que la femelle est minuscule et en apparence vulnérable! Oh! Ils veulent résister à la tentation, essaient, y parviendraient... si je leur en laissais le loisir. Si le mulot est sans défense contre la buse, c'est qu'il se croit hors de danger parce que l'oiseau de proie évolue à une distance où *lui* ne pourrait pas l'atteindre. Les vieux messieurs sont désarmés devant moi *parce qu'ils ne me feraient jamais d'avances*. Leur désir, ils le croient secret et, par conséquent, ne le redoutent pas; ma force, c'est de le détecter et de frapper ce talon d'Achille. (Celui-là, guerrier ou pas, son point faible, il devait l'avoir entre les jambes... comme les autres mâles!)

Une fois, ce n'est pas celui que j'avais appâté qui m'a suivie dans les buissons. Un plus jeune, d'allure bizarre, nullement craintif. C'est moi qui me suis effrayée. Et je me suis mise à crier à gorge déployée. Je sais crier tellement aigu que ça perce les oreilles et noue les nerfs. Le vieux monsieur du banc est accouru, et l'autre a déguerpi en piquant à travers les arbustes. J'ai fait mine d'être effarouchée, même que j'ai pleuré, et le vieux m'a rassurée. Je lui ai expliqué que le «méchant homme» avait sorti un machin dégoûtant de son pantalon et voulait que je le touche. Le vieux a manqué s'étouffer, toussoté et traité le jeune «d'horrible pervers». Qui croyait-il leurrer avec sa face qu'on aurait dit passée au mercurochrome? Je jubilais que mon sauveur se sente coupable d'avoir lui-même rêvé de mes attouchements, même s'il ne voulait pas que ce souhait se réalise. Il m'a ramenée au banc en me conseillant d'être prudente à l'avenir et il est reparti très vite. Plus jamais revu! Quelle déveine: je le travaillais depuis quatre jours, et il était mûr pour la curée...

Le Marcel éjacule en jurant. Je déteste ces blasphèmes qui me rappellent de mauvais souvenirs. Ce type, je ne veux plus qu'il revienne ici! Tantôt, je lui ferai le coup de la petite branlette à côté de maman endormie. Ah... il se lève, quitte la chambre. L'envie de pisser sans doute. Ils l'ont tous, après.

J'ai laissé la porte de ma chambre ouverte, la lumière dans le couloir éclaire mon lit. Il passe, jette machinalement un coup d'œil dans la pièce et me voit qui le dévisage avec froideur. Des yeux d'enfant troublée qui a compris qu'on baisait sa mère. L'air navré de Marcel! Je gâche rétroactivement son plaisir. Soudain, il songe qu'il est nu, cache de ses mains son pénis luisant, et continue vers les toilettes. Il pisse longtemps, hésite plus longtemps encore avant de revenir. Il repasse, une serviette nouée autour de ses reins. Il voudrait éviter de regarder dans ma chambre mais ne peut s'en empêcher. À nouveau mon œil réprobateur. Il baisse la tête et disparaît.

Discussion dans la chambre à côté. Il ne restera pas pour la nuit. Maman insiste. Peine perdue; même qu'il va partir immédiatement. Elle regimbe: «Mais il est encore tôt! Je pensais dormir avec toi... Tu disais que ça te prenait toujours deux coups d'affilée pour ton bonheur.» Il se prétend fatigué. Je lui ai coupé ses élans, au Marcel! Pauvre maman... Silence qui se prolonge. Le lit se plaint, l'amant se recouche; je ne sais trop comment, elle a obtenu gain de cause. Qu'elle ne se fasse pas d'illusions, ce n'est qu'un sursis. Quand il quittera l'appartement, ce sera à jamais.

La première fois que j'ai touché une queue, c'était il y a environ trois ans. À l'époque, j'ignorais jusqu'à l'existence des buses et commençais à peine à m'intéresser aux mots. Je fréquentais le parc et souvent j'allais jouer à la balle contre le mur de la remise, qu'à l'époque j'appelais «cabane», comme tout le monde. Un jour, j'ai trouvé dans la clairière un homme en train d'uriner. Surprise réciproque. Je me suis arrêtée pour l'observer qui continuait de vider sa vessie. Lui me regardait le regarder. La première queue réelle que je voyais; auparavant, il n'y avait eu que celles du vidéo. Il a fini de pisser et a secoué son pénis pour l'égoutter. Comme je ne partais pas, il a continué de l'agiter. Il souriait d'un air affable et bandait. Il s'est mis à se branler avec lenteur. Le spectacle m'intéressait: curiosité intellectuelle! Il a parlé à voix basse. «C'est beau, hein? Regarde, elle grossit encore. T'en as jamais vue, hein?» J'ai fait signe que non. Et, parce que j'ai senti que ça le stimulait de me croire naïve, j'ai fait montre d'un étonnement plus grand que celui que j'éprouvais.

«Approche, n'aie pas peur, ça ne te mangera pas. Veux-tu lui toucher?» Il avait les yeux brillants, l'air un peu débile avec sa langue sortie. Nulle crainte; il me faisait penser à un pauvre robineux qui mendie près d'une station de métro. J'ai avancé, il a pris ma main et l'a posée sur son membre. Intriguée par cette chose, j'ai palpé sa dureté, exploré sa longueur. «C'est doux, hein? Examine-la bien, tu n'es pas près d'en revoir une aussi grosse. C'est la plus belle en ville.» Je me doutais bien qu'il exagérait, toutefois n'en ai rien dit pour ne pas le chagriner. Il en était si fier! Je trouvais au pénis une apparence ridicule avec son gland disproportionné. Et l'odeur était affreuse. Cependant, je m'instruisais.

Il a refermé sa main sur la mienne pour m'enseigner à le masturber, et quand le mouvement a été bien amorcé, il l'a retirée, me laissant continuer seule. «Comme ça, oui. Pas trop vite. Descends la peau, la laisse pas remonter trop haut. Serre un peu plus. Comme ça, comme ça... C'est bon ce que tu me fais là, tu es une brave petite fille.» Nom, âge, adresse, fréquence de mes visites au parc: je n'ai répondu à aucune de ses questions. Ça l'a amusé: «Disons que tu es muette.»

Ensuite, sa queue s'est rigidifiée, je sentais une colone vertébrale dedans; j'ai songé à un cou de dinde encore crue. Le gland est devenu pourpre, ourlé de violet à la base. L'homme semblait maintenant pressé, me demandait d'accélérer. Sa voix tremblotait. «Regarde au bout, regarde ce qui va sortir. C'est magique.» Puis il a grogné, et un liquide blanc a giclé avec puissance, m'a éclaboussé la joue et le cou. Déconcertée, j'ai cessé le travail; aussitôt, sa main a emprisonné la mienne, et il s'est branlé avec elle, en m'écrasant les doigts. Il a déchargé encore et encore, cependant j'avais reculé le plus possible, et c'est ma blouse et mon pantalon qui ont été souillés par le sperme.

L'ultime goutte tombée, l'attitude de l'homme s'est radicalement modifiée; de loup, il devenait agneau. Il m'a contemplée avec autant d'ahurissement que si j'avais été une extraterrestre, et a rejeté ma main comme si c'était un animal venimeux. Sans même l'essuyer, il a caché sa queue. Il m'a dit de ne jamais parler de cela à personne, a jeté un dollar à mes pieds et est parti. Juste avant de quitter la clairière, il s'est retourné. Sur sa face, la honte et la frousse, avec en plus, cette chose que j'ai soupçonné être le désir. Il m'a proposé, la voix hachurée d'hésitations, de recommencer le lendemain. Avec candeur, j'ai répondu que je demanderais d'abord à ma mère si c'était bien de faire ça. Sans attendre son reste, il s'est sauvé.

J'ai su qu'il ne remettrait pas les pieds dans le voisinage avant longtemps, et j'ai éclaté de rire. Première ivresse. Bonheur fou qu'un adulte, un homme en plus, me redoute à ce point. Victoire éclatante: cette corne du mâle que j'avais vu avec horreur enfoncer le corps des femmes, forcer leur bouche, perforer leurs fesses, cette arme qu'ils brandissaient dans leur poing et dont ils menaçaient l'univers entier, voilà que je l'avais réduite à rien du tout, un doigt désossé, une flasque saucisse. Je me découvrais un pouvoir infini: faire naître le désir et l'éteindre en le remplaçant par l'angoisse.

J'ai nettoyé le sperme de mon mieux et, pour masquer les taches, j'ai frotté mes vêtements avec de l'herbe. Ils ont été irrémédiablement gâchés, et je me suis promise qu'à l'avenir je me tiendrais hors de la trajectoire de l'éjaculation. Car j'allais recommencer, et pas avec des garçons de mon âge. Des hommes mûrs, les plus vieux que je pourrais trouver. C'est ce soir-là que j'ai vu un documentaire sur les buses et compris ma nature d'oiseau de proie.

Souris sylvestre, souris sauteuse des champs, campagnol à dos roux, lemming, musaraigne, spermophile rayé, gaufre brun: j'ai vite appris à identifier la faune du parc qui se camouflait sous des apparences humaines. Dans le lot, j'ai eu un ami, un vrai vieux, lui, avec canne, cheveux blancs et tout. Même de l'arthrite aux doigts. Il s'assoyait toujours sur le banc près des buissons, et parce qu'il n'avait pas répondu à mes avances (peut-être avait-il la vue faible?), j'avais pris place à ses côtés pour lui tenir compagnie. Avec lui je n'étais qu'une fillette et, à lui, je parlais. J'écoutais aussi. Il me racontait des histoires, évoquait le temps de sa jeunesse, m'interrogeait sur l'école et mes lectures. Je l'aimais assez.

Ç'aurait pu durer longtemps comme ça, devenir une profonde et douce amitié, cependant je ne pouvais plus chasser car il occupait le banc en permanence. Or, j'avais besoin de sentir le mâle expirer dans mes griffes. La privation de nourriture enfiévra mon esprit, et j'eus envie de voir le pénis de mon vieil ami. Une envie, bientôt une obsession. J'y pensais chaque jour, à l'école quand je m'ennuyais, le soir avant de m'endormir. Et la nuit, j'en rêvais parfois. Je ne connaîtrais vraiment cet homme que lorsque j'aurais possédé ce sexe qu'il devait, à l'instar des autres, considérer son bien le plus précieux.

Je commençais à l'exécrer, son affection toute paternelle m'horripilait chaque jour davantage. L'impression qu'il m'emprisonnait dans ma peau d'enfant. Je dessinais sa verge, la découpais et faisais brûler le papier au-dessus du bol des toilettes. J'ai même imaginé, sans toutefois mettre mon projet à exécution, en modeler une effigie de cire pour y piquer des aiguilles ainsi que font les prêtres incas dans *les Sept Boules de cristal*.

Je n'en pouvais plus! Par un bel après-midi, alors qu'il me racontait quelque légende du «bon vieux temps», je lui dis que je voulais aller pisser dans les buissons mais que j'avais peur. Rien à craindre: du banc, il monterait la garde afin que personne ne m'y surprenne faisant mes besoins. Non! Je n'étais pas rassurée. Et si quelqu'un était déjà caché dans les fourrés? J'insistai pour qu'il m'accompagne, ce qui ne lui plut pas; il eut un soupir d'agacement en se levant.

Je le conduisis dans la clairière: «Ici, c'est bien. Reste là.» J'avançai encore de quatre pas, baissai ma culotte et m'accroupis en face de lui. Il détourna la tête. Je n'avais pas envie d'uriner et forçai. Je lui dis que je n'y arrivais pas, il répondit que sa présence devait m'intimider et qu'il allait s'éloigner. «Non, regarde, ça vient.» Sans réfléchir, il porta son regard sur moi et, ensuite, fut incapable de le détacher de ma vulve d'où jaillissait un filet d'or en fusion.

J'étais aux anges! lui, blanc à pois écarlates, tellement confus qu'il en oubliait comment rougir dans les règles. Cependant, captivé. J'ai demandé s'il trouvait ça beau. Il a eu une quinte de toux, puis a bredouillé quelque chose que je n'ai pas compris. Je me suis approchée, la culotte autour des chevilles. «T'as un mouchoir?» Quand il l'a eu en main, j'ai proposé qu'il m'essuie. La sueur perlait sur son visage, et il a passé un doigt entre sa chemise et son cou pour mieux respirer. Il a tamponné mon sexe avec délicatesse; j'ai ouvert les grandes lèvres: «Dedans aussi.» Il s'essoufflait comme à un exercice violent.

Ensuite, j'ai voulu qu'il me montre son zizi. Il a sursauté, ricané pour masquer sa gêne et fait non de la tête. J'ai argumenté: ce n'était pas juste, puisque lui avait vu mon sexe. Même qu'il l'avait touché! Il protestait avec véhémence, prétendait que cela ne se faisait pas, que c'était défendu. J'ai insisté beaucoup, avec des larmes aux yeux, en reniflant et en montrant une déception infinie. Rien de plus intolérable pour un homme que de décevoir une femme sur le plan sexuel, quelle que soit la nature de l'attente, quel que soit l'âge ou l'apparence de la femme. C'est une chose qu'une femelle sait d'instinct, et dont elle peut jouer.

Alors, à regret, il a sorti son pénis. J'ai simulé la plus grande des surprises et touché son membre d'une main incertaine, pour ensuite le caresser d'une façon presque imperceptible, en chantant sa beauté et sa douceur. Et c'est vrai qu'il me paraissait beau; le premier «membre viril» qui trouvait grâce à mes yeux. Peut-être parce qu'il était si peu viril. Minuscule, timide, le gland presque complètement recouvert par le prépuce; on aurait dit un petit moine qui ne risquerait qu'un œil sous son capuce rabattu. En fait de caresse discrète, c'était vite devenu une franche masturbation. Il s'est récrié, m'a ordonné de cesser, a même tenté de repousser ma main. Toutefois sa queue était d'un autre avis! Elle remuait entre mes doigts, se couchait dans ma paume, faisait la belle, se roulait sur le dos afin que je lui gratte la panse. J'ai songé d'abord à un chaton sensuel, puis quand le gland émergea de son étui, à une tortue qui sort la tête de sa carapace. Quoi qu'il en soit, le vieux couinait.

Je l'ai branlé carrément, avec ces gestes impératifs auxquels nul mâle ne saurait résister. Mon ami avait fermé les yeux, les paupières soudées par une raie liquide qui débordait aux coins. Il serrait les mâchoires. Son pénis n'a pas grossi et est resté indolent jusqu'à la fin. Quelques gouttes très blanches sortirent sans pression, que j'ai fait tomber en essorant la chair malléable.

Après son plaisir, il était affligé, avait envie de pleurer. L'a fait. En m'abjurant de ne parler de cela à personne et, surtout, de ne jamais recommencer. Avec qui que ce soit. Il m'a supplié de lui pardonner et d'oublier. Nous sommes retournés au banc; notre amitié s'était transformée. Renversement de situation: j'étais la grande personne et lui, l'enfant. Chacun avait réintégré le niveau qui était sien dans la pyramide alimentaire, qui gibier, qui prédateur.

Intimidé quand j'ai déclaré qu'il avait un «beau zizi», il a refusé net quand j'ai annoncé que je le toucherais à nouveau un autre jour. Des trémolos dans la voix, il m'a fait la morale, mais le lendemain on a recommencé. Et le jour d'après également. Je n'avais pas à demander; d'ailleurs, aucune parole n'aurait pu le contraindre à ces loisirs sexuels. J'y parvenais avec mes yeux, juste à ma façon de le regarder. Il me suivait dans les buissons, tête basse peut-être, piteux c'est sûr, surtout docile. Dans mes prunelles de buse, il découvrait son âme de mulot.

Les fois d'après, je ne lui ai pas montré mon sexe. Je n'aurais trouvé aucun agrément à être touchée. Et son plaisir à lui, je m'en fichais. Son éjaculation, une formalité sans importance. Ce qui m'intéressait: tenir le pénis dans ma main pour le mater, voir le remords torturer le vieillard. Je raffolais de l'angoisse que je percevais dorénavant chez lui quand j'approchais du banc où il m'attendait. J'aimais entendre ses protestations, son refus catégorique, être témoin de son brusque abandon à ma volonté. Il craquait tout d'un coup, ainsi qu'un élastique trop tendu. Et quand je l'entraînais vers la clairière, il donnait l'impression d'un mouton mené à la boucherie. Figure de style; je n'ai jamais vu d'abattoir. Un rongeur «empiété» par une buse qui l'emporte à son aire, voilà ce qu'il était.

Il ne s'habituait pas. Au contraire, chaque fois ça lui devenait plus coûteux. Peut-être avait-il le sentiment de laisser détruire une amitié qui lui manquerait ensuite? C'est bien ce qui se produisait, ce que j'avais voulu: couper du bec ce que je considérais à présent une entrave, une longe attachée à ma patte. Et cette mort progressive d'une amitié pure et désintéressée donnait, pour moi du moins, une saveur particulière à toute l'affaire, saveur que je n'ai jamais retrouvée depuis. Le mythe initial de mon innocence était plus vivace qu'avec les autres vieux messieurs, et c'est lentement que je devenais une «petite garce» aux yeux de mon ami. D'autant plus que je dosais ma «méchanceté» avec parcimonie: le coup de grâce n'en serait que plus brutal. En fait, j'ai été prise de vitesse par les événements et n'ai pas pu jouir d'une longue agonie de ma proie.

Au sortir de la clairière, il me répétait toujours de ne souffler mot de nos «péchés» à âme qui vive. Un jour que je lui demandais pourquoi, il m'a expliqué que si cela s'ébruitait, la police l'arrêterait. Trop bête pour dissimuler tout à fait ma joie, je me suis exclamée: «Si j'en parle, on te met en prison?» En avalant sa salive de travers, il a hoché la tête pour signifier que c'était le cas. Et il a disparu à tout jamais!

Sans doute a-t-il pris peur à cause de mon bonheur d'apprendre quel danger mortel je représentais pour les vieillards que je branlais. J'ai été attristée de perdre cet homme que je n'avais pas fini «d'aimer». Tout à la fois, le soulagement d'être libérée de son amitié et la rage de n'avoir pas eu la chance de goûter sa haine. *Ambiguïté*, appelle-t-on ce mélange de sentiments.

Le plus drôle, c'est que je me suis ennuyée de sa queue! Je la trouvais jolie et amusante, petit animal farouche à peine apprivoisé. C'est le seul pénis que j'ai aimé et eu plaisir à caresser. Je veux dire, un plaisir qui s'ajoute à celui de manœuvrer son propriétaire. Une queue dont le gland avait une physionomie amicale. Les autres, je les trouve menaçantes et orgueilleuses... tant que je ne leur ai pas rabattu le caquet en les vidant de leur jus. Alors, les reins cassés, elles deviennent pitoyables. Pantelantes ainsi qu'un marathonien hors d'haleine, déliquescentes comme un steak oublié hors du frigo. Répugnantes, après comme avant. La queue de mon vieil ami, elle se montrait déférente, jamais fanfaronne, et, quand elle avait crachoté la semence, on l'aurait dit émue, avec cette goutte brillant au méat telle une larme à l'œil.

Je retrouvai mon banc vide. Alors, avec ma corde à danser, j'explorai le territoire que j'avais négligé depuis quelque temps. *Shlak! Shlak! Shlak!* La buse était revenue hanter le parc. J'ai fait l'inventaire des vieux messieurs qu'intéressaient mes allées et venues. J'arrêtais devant ceux dont le regard insistait, et voletais avec des battements de jupe.

Un, deux, trois, quatre,
Ma p'tite vache a mal aux pattes,
Tirons-la par la queue,
Elle deviendra mieux.

Jusqu'à ce que leurs yeux s'allument et que leurs mains tremblotent, signes que dans leur tête ça ne tourne plus rond, que leur viennent des pensées qui les obséderont sans répit. Une fois que je les ai ainsi marqués, je retourne à mon banc, danse autour afin de leur faire comprendre qu'il s'agit d'une étape obligatoire, puis je disparais dans les buissons où je reste longtemps à chanter à tue-tête.

Ensuite, je reviens aux messieurs et recommence le manège, de la même façon que dans les films, le chien intelligent transmet son message aux humains: à quel endroit se cache le bandit, où se trouve l'enfant blessé qu'on cherche. Ce que je leur apprends, moi, c'est la localisation de mon nid, repaire où ils auront la révélation de leur vulnérabilité, scène où ils seront confrontés à leur bassesse, autel où ils sacrifieront leur dignité.

Jour après jour, je répète inlassablement mon numéro jusqu'à ce qu'une future victime ait pris place sur mon banc. Alors, je concentre sur elle mes efforts, l'hypnotise et l'envoûte afin qu'elle me suive à mon nid. Me repaître de la détresse qui suit l'extinction du désir, m'empiffrer de la peur et de la culpabilité subséquentes. Survivre.

J'ai toujours détesté mon père et il le devinait, qui ne s'occupait pas de moi. Sans doute que ma haine le blessait car il s'absentait constamment de la maison; quand il rentrait, c'était fin soûl, pour ne pas me voir. Maman gueulait, avec raison; il la frappait en jurant. Ensuite, il pleurait et, morveux, quémandait notre pardon. Je lui tirais la langue; maman, elle, pardonnait toujours. Et ça recommençait le lendemain. J'ai suggéré à maman qu'on déménage pendant qu'il serait absent. Elle m'a répondu de ne jamais répéter pareille sottise. Ce n'était pas une sottise, bien au contraire, la meilleure solution.

Elle était malheureuse, si malheureuse que je n'y pouvais rien faire. Je pleurais chaque soir, pas tant du comportement de mon père que de la souffrance de maman. Et je rêvais de le tuer. Quand la télévision montrait des meurtres, je m'imaginais à la place de celui qui tirait, et c'était mon père qui recevait les balles. Pendant quelques secondes, je nageais en pleine euphorie. Tout serait devenu si simple ensuite! Maman aurait été heureuse avec moi, je lui aurais fait oublier ses malheurs passés, cet homme qui lui avait gâché ses plus belles années.

Mais elle l'aimait et voulait continuer de vivre avec lui. Elle l'absolvait en le priant de s'amender; il promettait, et chaque fois elle le croyait, espérait contre toute logique. Quand ma grand-mère maternelle déblatérait contre lui, maman prenait sa défense: «Il faut le comprendre...» Et patati, et patata... Le comprendre, hein! Facile de comprendre que c'était un lâche, un sans-cœur et un égoïste. Comment pouvait-elle continuer de l'aimer ou, du moins, se le faire accroire? Je le trouvais d'une laideur repoussante. J'avais des nausées en pensant qu'il couchait avec ma mère si belle, qu'il l'embrassait avec son haleine puante, qu'il la touchait avec ses pattes sales, qu'il la... Comme je jalousais les enfants qui me racontaient que leurs parents venaient de se séparer!

Peut-être que... Oui, quand j'étais petite, très petite, j'aimais follement mon père. Et lui aussi il m'aimait. Il me prenait sur lui et, des heures durant, me berçait. Je m'endormais dans ses bras si forts, doux pourtant. À cette époque, il avait une bonne odeur. Je ne me lassais pas de son «parfum à moustache» (c'est ainsi que j'appelais sa lotion après-rasage) qui m'enveloppait tel un cocon. Quand nous sortions, il me donnait la main ou, plus souvent encore, me hissait sur ses épaules d'où je dominais le monde. J'étais alors plus grande que les plus grands adultes, et, avec les longs pas de mon père, aucun lieu n'était trop loin pour moi. Je disais «là!», et en quelques secondes nous y étions; «là-bas!», et nous nous y rendions.

En ce temps-là, je considérais mon père comme mon homme à moi, à moi seule; il le serait toujours, et quand je vieillirais, je le prendrais pour mari. Ma mère et moi, nous nous le disputions en silence, chacune essayant de l'attirer à elle. Même que je lui disais parfois: «Tu es méchante, va-t-en! Laisse-nous seuls, c'est mon mari à moi.» Cela la faisait sourire et j'en rageais. J'enviais sa beauté, ses formes que tous les hommes remarquaient. Je souhaitais qu'elle tombe amoureuse d'un voisin et parte avec lui, comme dans les films.

Et puis un jour... Je ne sais pas pourquoi, il a cessé

de m'aimer et m'a abandonnée. Je ne me rappelle aucun événement particulier, ni période de transition; j'étais tout pour lui, et le lendemain, je n'existais plus à ses yeux. Je me souviens seulement que je me suis mise à le détester de toute mon âme. Il était subitement devenu un être odieux, un soudard violent et braillard.

Maman et moi nous retrouvions dans le même bateau, femmes trahies que l'épreuve rapproche. Je la découvrais toute douceur et sensibilité. J'avais été injuste et, surtout, m'étais trompée de personne en aimant: elle seule méritait mon affection. Il fallait que je remplace son mari, car même s'il n'avait pas quitté le foyer, rentrait parfois, il resterait à jamais un absent. Je devais aimer maman à sa place; elle, m'aimer pour deux. À compter de ce moment, j'ai désiré que cet homme disparaisse tout à fait.

Longtemps j'ai cherché le moyen de le liquider (*parricide*, disait le dictionnaire), sans rien trouver que des histoires compliquées qui n'aboutiraient pas, que des machinations hors de portée d'une fillette de sept ans. Les mois passaient, et il était toujours là, à nous empoisonner la vie, à nous empêcher de nous consacrer totalement l'une à l'autre. Pourtant la solution était toute simple, et c'est mon vieil ami qui me l'a donnée à son insu. J'ai arrêté mon plan; prête, j'ai guetté le moment propice, de la même manière que la buse retarde l'attaque pour ne frapper qu'à coup sûr. Quand les conditions favorables furent réunies, je n'ai pas hésité une seconde.

Un soir. Maman et sa mère veillaient au salon; mon père ronflait, ivre mort; moi, j'étais couchée pour la nuit. Tout était en place pour le drame. J'ai foncé dans la chambre où dormait sur le dos l'homme haï. Je l'ai secoué: tellement soûl que rien n'aurait pu le réveiller. Alors, j'ai ouvert son pantalon et sorti son pénis écœurant. Je l'ai branlé pour qu'il raidisse. Branlé, branlé, branlé. Quand j'ai vu qu'il n'était pas loin d'éjaculer, je suis montée sur le lit, un pied de chaque côté de ce corps qui avait été celui de mon père, j'ai craché sur son gland ainsi que je l'avais vu faire dans un vidéo par un homme qui allait en enculer un autre. J'ai mis également de la salive sur ma vulve dont j'ai écarté les lèvres au maximum avant de m'asseoir sur le membre dressé.

Cette masse brûlante et dure qui forçait mon ventre! Dans ma tête, une image: je m'empalais sur un pieu. Sensation d'être ouverte, fendue en deux. J'ai serré les mâchoires pour ne pas crier et j'ai pesé de tout mon poids. Ce n'était pas suffisant, quelque chose en moi résistait. Alors, je me suis agrippée aux hanches de l'homme et me suis halée contre lui. Coup de poignard dans les entrailles, et soudain, les chairs qui cèdent, se déchirent, mes organes repoussés, bousculés par une intrusion gigantesque. Des lumières rouges clignotaient devant mes yeux. Peur de m'évanouir. Je suis restée suspendue à mi-hauteur du membre qui ne pouvait pénétrer plus à fond. Je pleurais en silence et, en même temps, jubilais de triomphe. Le sentiment de vivre un moment capital, d'infléchir mon destin.

Après que mon cœur se fut calmé, je me suis mise à monter et à descendre pour pomper la verge avec mon corps. Ce faisant, j'ai déchiré le haut de ma jaquette. Je sentais des échardes se ficher dans ma chair, mais il aurait fallu plus que cela pour ralentir mon ardeur. L'homme a gigoté, des mouvements brusques des reins pour se planter jusqu'à la racine. Puis, il s'est tendu, et le sperme a brûlé mes muqueuses déjà irritées. Je me suis relevée avec infiniment de difficulté. Ploc! a fait le gland quand mon vagin l'a relâché.

Descendue du lit, je me suis examinée: de longues traînées de sang sur les cuisses, flots de semence rosie que dégorgeait mon sexe. Parfait! Alors, j'ai poussé un hurlement de mort et, toujours criant, pleurant, hoquetant, j'ai couru au salon. Les deux femmes m'ont accueillie dans un silence de stupeur auquel ont fait place des exclamations horrifiées. Image navrante de l'enfance violée, j'ai pointé un doigt accusateur vers la chambre où avait été commis le forfait. Nul besoin de mots.

Je me suis précipitée dans les bras de maman qui gémissait sans discontinuer. Telle une furie, les yeux lançant des éclairs, grand-mère criait: «Un monstre! Je le savais qu'un malheur arriverait. Cette fois, c'est la fin.» Elle s'est emparée du téléphone; dix minutes plus tard, la police était là et embarquait l'homme ivre qui ne comprenait rien à rien. Il n'a pas encore compris ce qui s'est passé; aucun souvenir, cependant, il se *sait* coupable. Quelle autre explication? C'est ma plus douce vengeance, cette certitude qu'il a de sa culpabilité.

On m'a conduite à l'hôpital. État de choc, craignait-on. Aucun dommage physique grave. Quant au traumatisme psychique, seul l'avenir le dirait. Pendant un temps, j'ai habité avec maman chez grand-mère. On s'est beaucoup occupé de moi qui laissais voir que j'avais besoin de ces attentions, celles de maman en particulier. On évitait d'en parler devant moi, mais par des bribes de conversation surprises et des allusions que je décodais, j'ai appris que mon ancien père subissait un procès, après des examens psychiatriques, et qu'il était condamné à plusieurs années de prison. Victoire de la buse: j'avais réussi à le tuer sans commettre de meurtre! Maman entreprit des procédures de divorce. Enfin, je l'avais pour moi seule, et elle allait découvrir la puissance de mon amour.

Elle endossait une part de responsabilité dans cette histoire, se reprochant de ne pas avoir quitté la bête infâme avant que ne survienne l'irréparable. Comme elle m'a aimée afin que je ne reste pas marquée par cette affreuse aventure! Et depuis, elle a toujours craint de ne pas assez me témoigner son affection. Elle ne pourrait jamais trop en faire, tant ma fringale d'elle est insatiable.

Pour ma part, j'ai voulu la déculpabiliser, le plus efficace moyen étant de m'épanouir telle une fleur au soleil de son amour. Et maman s'est peu à peu rassurée sur mon état, s'attribuant le mérite de m'avoir redonné le goût de vivre. Elle ne se rendait pas compte que c'est moi qui la faisais renaître, mais cela m'importait peu. Seul comptait son bonheur, pourvu qu'elle le tire de moi.

Alors, après plusieurs mois de solitude à deux, elle a cru qu'elle pouvait recommencer à penser un peu à elle, c'est-à-dire, rencontrer des hommes! La première fois qu'elle a amené un «ami» coucher avec elle, je me suis arrangée pour faire toute la nuit des cauchemars qui réveillèrent la maisonnée. Elle a supposé que la présence d'un homme me terrorisait et, pendant longtemps ensuite, elle s'est abstenue d'en inviter à la maison. Quand elle en rencontrait un, c'était à l'extérieur, et grand-mère venait me garder.

Je me forçais à ne pas m'endormir avant son retour et expliquais mon insomnie par une peur horrible de la perdre. Elle me promettait qu'elle serait toujours là. Mon insécurité l'incitait à ne pas rentrer trop tard. J'acceptais qu'elle se «divertisse» un peu, à condition que cela n'empiète pas sur le temps qu'elle devait ne consacrer qu'à moi. Ses sorties, j'évitais d'y penser et je ne l'interrogeais jamais sur ses activités; ce qu'on ne sait pas ne fait pas mal. Et si elle voulait me parler de l'ami qu'elle avait rencontré, sans doute pour me préparer à faire sa connaissance, je lui laissais entendre que le sujet ne m'intéressait pas.

Elle seule compte pour moi. Oh! le bonheur d'être en sa présence. Joie inouïe à la regarder s'habiller, se maquiller, se déshabiller, se démaquiller. On dirait une actrice ou une princesse. Son moindre geste m'émeut, sa façon de bouger me met en transe. Éblouissement devant sa nudité. Le vertige s'empare de moi et je transpire. Sa beauté est telle, que j'en ai mal. Peur d'en être un jour privée. De ce drame que je vis chaque fois qu'elle dévoile son corps, maman ne soupçonne rien. Elle dit que je la gêne à la détailler comme je le fais, toutefois elle ne se lasse pas de m'entendre énumérer les parties de son anatomie en les qualifiant des épithètes les plus rares.

Je m'invente un personnage. Dame de compagnie d'une reine, dont elle est amoureuse en secret, et qui récite des poèmes galants pendant que sa patronne s'affaire à sa toilette. Amour impossible que la pauvre fille cache sous de riches métaphores. Le corsage libère les seins royaux: «Ces globes d'opaline aux aréoles purpurines...» Le ventre que je sais si doux en même temps que ferme: «Dunes de sable aurifère et nombril ombragé de mirages...» Les jambes moirées par un duvet translucide: «Récifs coralliens pelucheux de roses anémones...» La toison de fourrure rousse: «Oriflamme de brocard flottant au faîte de piliers d'albâtre...» Maman rit de mes déclamations et de leur ton emphatique, inconsciente du tragique qu'ils dissimulent.

Son corps, je voudrais tant qu'elle me le prête, qu'elle l'offre à mes caresses passionnées, à mon amour dévorant. Après le «drame», prétendant avoir peur dans le noir, je dormais chaque nuit avec elle. Cela se produit encore, quoique moins souvent. Il m'arrive de toucher ses seins et son sexe. Aucun danger qu'elle s'éveille: ces fois-là, j'ai doublé la dose de somnifère en mettant une pilule dans son verre de lait chaud. Elle dit qu'elle souffre d'insomnie. C'est faux. À peine la lumière éteinte, elle s'endort dans mes bras d'un sommeil de plomb. Parfois, je la retourne sur le dos, m'étends sur elle et l'embrasse dans le cou, sur les joues et les lèvres; je bouge mon bassin comme si je la prenais. Je connais alors un plaisir sans borne qui est peut-être de la jouissance.

Mais c'est plutôt rare que je profite ainsi de l'inconscience de maman afin de m'approprier son corps. Pour être heureuse, il me suffit de la regarder, d'être près d'elle, de sentir ses regards sur moi. Quand nous sommes ensemble, je n'ai besoin de rien d'autre; je voudrais que ces moments n'aient plus de fin, que rien jamais ne nous sépare, ne fût-ce qu'une seconde. Le monde autour pourrait cesser d'exister: plus de parenté, plus de voisins, plus d'amis, plus d'école pour moi, de travail au bureau pour elle. Avant de m'endormir, à l'écoute de la respiration profonde et paisible de mon amante, je me raconte une histoire. Toujours la même.

Nous vivons sur une île déserte, comme Robinson et Vendredi; nous, par contre, ne souhaitons pas qu'un navire nous retrouve. À ce scénario, j'ajoute chaque soir des épisodes différents, des aventures nouvelles. Sur l'île, c'est moi qui m'occupe de maman, bâtis la cabane, construis des meubles, cultive un jardin, chasse, pêche, et fabrique des cadeaux pour elle: peigne, miroir, lime à ongles, bijoux de pierres brillantes et de coquillages. Je plonge dans la mer pour lui trouver des perles, tue des perroquets pour qu'elle se pare de leur plumes. Elle s'assoit sur le sable ou un tronc d'arbre et coiffe sa chevelure en me regardant travailler. À tout moment, je lève les yeux vers elle et m'exclame: «Je t'aime!» Un grand cri d'amour qui fait s'envoler les oiseaux, se taire les singes dans les arbres.

Et le jour, je fouille dans l'encyclopédie afin de trouver un détail pratique qui me manquait lors de l'invention de la veille. Comment fabrique-t-on les poteries? En quoi, le peigne? Écaille de tortue. Les tortues pondent dans le sable des plages tropicales. Tiens! Je pourrais ramasser des œufs pour le prochain petit-déjeuner de maman. Comme j'avais oublié des objets indispensables en établissant l'inventaire mental des biens rescapés du naufrage, notamment une scie à métaux, des limes et du tuyau de plastique (pour installer l'eau courante), j'ai fait accoster un troisième personnage dont la chaloupe contenait tout ce dont j'avais besoin.

Il a abordé dans une crique éloignée de celle que nous habitons. J'étais seule quand je l'ai trouvé au cours d'une expédition de chasse, mal en point, à l'agonie presque. Le visage brûlé par le sel et le soleil, il a murmuré «à boire... à boire... à boire...» Me voyant apparaître au-dessus de lui, il s'est exclamé: «Un ange! Je suis donc mort? déjà en paradis?» En guise de réponse, j'ai enfoncé ma sagaie dans sa gorge, puis dans sa poitrine, puis dans son ventre. Et je l'ai traîné dans la forêt pour l'ensevelir au pied d'un arbre. Maman ne saura jamais que nous avons eu un visiteur. Ni, surtout, que j'ai extrait son cœur pour le manger après l'avoir rôti à la broche. Les Indiens faisaient pareil en vue d'acquérir les qualités de leurs victimes.

Le plus beau de l'histoire, c'est quand je vieillis. À l'âge où devraient me venir des seins, ce sont des muscles d'athlète qui poussent. Peut-être parce que j'ai dévoré un cœur viril? Sur la poitrine, les bras, les cuisses: du poil dru. Une barbe. Ma vulve se soude, et un matin je remarque un bouton qui sort en bas de mon ventre. Chaque jour il épaissit, allonge, devient comme un doigt. Une queue! Maman s'émerveille de ce phénomène et la touche en riant. La seule chose qui manquait à son bonheur sur notre île, et voilà que j'en ai une! Je vais pouvoir lui donner les joies de la chair en plus de lui fournir toutes les autres nécessités de la vie.

Une queue, et une belle! Un manche d'ivoire couronné d'un cabochon de quartz rose. Maman n'arrête pas de caresser mon pénis, et il bande. Elle veut l'essayer tout de suite, se couche par terre en ouvrant les cuisses, et je deviens son mari. Nous nous accouplons toutes les nuits, du soir au matin, et souvent en plein jour, sur la plage brûlée de soleil, dans l'ombre des bosquets. Notre amour croît sans cesse, le temps passe, nous avons des enfants et vivons heureuses. Comme dans les contes de fées.

Chaque matin, l'île déserte s'évanouit et je me retrouve avec une fente entre les jambes. Malheureuse, tant que je n'ai pas vu maman. Alors, ma joie refleurit. Elle! Pour me faire des réserves en vue de l'interminable séparation qui s'annonce, je ne la quitte pas d'une semelle tout le temps qu'elle se lave, se maquille et s'habille. C'est moi qui la peigne et, jusqu'au midi, j'ai les mains électrisées par le contact de ses cheveux.

À partir du dîner, mes provisions d'elle sont épuisées, et je me désespère. L'ennui en classe, bruyant comme tout. Les *slaah... slaah... slaah...* des pieds qui remuent sous les chaises. Les *scrit! scrit! scrit!* des crânes qu'on gratte. Les *toup, toup, toup,* des doigts dans les narines. Le *stikitikiti* des mines sur le papier. Le *trouc-quetrouc-quetrouc* des gommes à effacer.

Tout l'après-midi, je compte les secondes qui restent avant les retrouvailles avec maman. Et je rage. Quand l'école se termine, pour me défouler, pour oublier que trois heures encore me séparent du moment de son retour, je me transforme en oiseau de proie. Le temps s'évanouit car je plane au-dessus du monde et de la réalité. De même que l'école et mes copines, le parc et les vieux messieurs ne sont qu'un rêve. Mauvais. Seule maman est réelle. Et par elle, je suis autre chose qu'un songe ambulant.

La fin de semaine, temps béni! Durant deux jours, j'ai maman toute à moi. Elle dort jusqu'à midi pour se reposer du travail, et moi, même si je ne suis pas fatiguée, je reste couchée avec elle. Juste pour goûter sa chaleur, pour l'admirer entre mes paupières mi-closes. Dans son sommeil, elle me serre parfois contre elle, alors, je me fais toute petite, me ratatine de la même façon que lorsque j'étais dans son ventre. Je voudrais qu'elle me garde toujours dans ses bras. J'ai fait un rêve déjà qui m'a plongée dans un bonheur inouï: nous étions des siamoises soudées par le côté, de l'épaule à la hanche, et l'on ne pouvait nous séparer car nous partagions le même cœur.

Une fois libérées de ces inévitables corvées, courses à l'épicerie, ménage, lavage, qui en vérité me deviennent agréables parce qu'accomplies avec maman, nous allons faire du lèche-vitrine sur la rue Sainte-Catherine, fouinons dans les grands magasins, à l'affût des aubaines car nous ne sommes pas des millionnaires. Devant les produits aux griffes célèbres, nous ne pouvons que rêver. Mais ce n'est pas grave; le vêtement le plus ordinaire devient sur maman d'une rare élégance.

Le dimanche, nous nous mettons sur notre trente et un pour sortir: visite à la parenté ou à des amis, musée, spectacle pour enfants, parc d'amusement. N'importe quoi qui puisse lui être agréable! Moi, pourvu que je sois en sa compagnie... Comme je suis fière qu'elle me promène à son bras! Il me semble qu'un peu de sa beauté et de sa grâce rejaillit sur moi. On nous regarde. Elle surtout. Des hommes. Ils la détaillent, avec appétit; c'est compréhensible, mais ce n'est pas le moment, qu'ils attendent leur tour! Bas les pattes! Alors, battement d'ailes dans ma tête. *Flap! Flap! Flap!* La buse s'éveille, prête à frapper à la moindre provocation. Avec quel plaisir j'imagine la terreur qu'ils éprouveraient, ces hommes prétentieux, s'ils connaissaient mes serres!

Tous les mâles sont des couards! Tant qu'ils bandent, ils peuvent donner le change, mais dès que leur machin ramollit, ils tremblent. Et s'ils ne bandent pas, quel drame! Plutôt un vaudeville... Voix pleurnichardes: «Je ne comprends pas, c'est la première fois que ça se produit. Ça doit être l'émotion. Parce que je te désire trop.» Et autres balivernes du genre...

C'est arrivé quelques fois à des «amis» de maman. Je me suis bien amusée. Ils essayaient de prendre la chose à la légère, de ne pas lui accorder d'importance, mais leur ton inquiet démentait leurs propos. Alors, venaient les excuses. Toujours les mêmes. Ensuite, ils s'acharnaient durant une heure, y parvenaient presque, oui, non... oui... non! Déception! Maman avait beau leur dire que ce n'était pas grave, ils se mettaient à pleurnicher comme des bébés, et elle devait les rassurer sur leur virilité. Dans la chambre voisine, je me tenais le ventre à deux mains parce que j'avais mal à force de contenir mon fou rire.

Mon vieil ami, il restait toujours mou et ça ne le dérangeait pas. Et les autres vieux messieurs ne s'en font pas non plus. Ils croient qu'une enfant inexpérimentée n'y voit que du feu. Mais... quand, en m'essuyant les doigts, je leur demande avec ingénuité pourquoi ils ne bandent pas, si c'est une maladie ou une infirmité, on dirait que le ciel leur tombe sur la tête. Pareille à un manteau trop épais, la honte les engonce, leurs épaules s'affaissent. Ils se réfugient dans le mutisme, ou bien se fâchent et affirment que je ne connais rien à ces choses, ou que ça ne vaut pas la peine de bander pour une petite fille, ou encore, le bouquet, qu'ils s'en sont abstenus parce que devant l'énormité de leur queue, j'aurais pris peur! Je m'esclaffe afin qu'ils sachent que je ne suis pas tombée de la dernière pluie acide. Ils me détestent, surtout quand je les raccompagne en chantonnant: «Impuissant! impuissant! impuissant!» De toute façon, ils me maudissent toujours après qu'ils ont joui. Aussi bien leur donner une vraie raison de le faire.

Bien qu'ils aient eu la frousse de leur vie, ils reviennent éventuellement rôder dans le parc. Le banc près de la clairière, mon banc, ils s'en tiennent à l'écart, s'installent plutôt en un lieu d'où ils peuvent l'observer, se souvenant qu'ils y prirent place un jour et que je volai devant eux, rêvant d'y retourner, n'osant jamais s'y résoudre. Peut-être que si je les y invitais... et encore! Au cours de ma ronde de chasse, je ralentis devant eux, et mon air sarcastique les insécurise. Plusieurs détournent la tête, quelques-uns essaient de sourire et ne parviennent qu'à grimacer. Parfois, un salut amical. L'un s'est même permis un jour de désigner la cabane tout en me lançant un clin d'œil! Quelle impudence! Pour le narguer, j'ai voleté devant lui.

Un et deux et trois,
Le pépère va dans le bois,
Il secoue sa p'tite queue,
C'est un vieux vicieux.

Il a eu son compte!

Avec les autres, je suis plus délicate... *Shlak! Shlak! Shlak!* Mes ailes battent, battent; leur tête tourne, tourne. Il en est qui pleurent doucement ou me supplient.

Avec un ricanement, je dis non. À part mon ami, je n'ai jamais emmené un monsieur une deuxième fois dans ma clairière. Au contraire, c'est bien plus drôle de leur refuser mes caresses. Ils comprennent vite qu'il n'y a rien à faire, mais ils rappliquent quand même au parc chaque après-midi. Ils épient mon manège d'oiseau de proie et lorgnent le banc, le cœur gros quand j'y ai attiré un mulot. Alors, ils songent à ce que le nouveau va connaître, le jalousent et, pour guérir leur nostalgie, attendent de le voir ressortir des buissons, le visage effaré, la peur aux tripes. Un autre marqué par les griffes de la buse, un autre qui aura jusqu'à la fin de ses jours l'amertume en partage.

Et puis un jour, mes anciennes victimes encombrent à tel point mon territoire, que la chasse devient impossible. Je ne sais s'ils mettent les nouveaux venus en garde, ou si c'est simplement un climat d'angoisse diffuse qui règne, toujours est-il que je n'arrive plus à capturer de proie. Un grand ménage s'impose. Pour cela, j'ai un moyen efficace et amusant. André. C'est un policier qui patrouille à pied le quartier et règle la circulation au coin de la rue en fin d'après-midi. Il me raconte qu'il est un grand détective et mène des enquêtes difficiles, vantardise à laquelle je ne porte pas foi. Si c'était vrai, il voyagerait en voiture et endosserait un imperméable à la Columbo, pas un uniforme voyant. C'est un gros épais, mais je l'aime bien.

Dératisation du parc: je demande à André d'y effectuer une ronde avec moi. Un jeu. Il doit deviner la profession des gens afin de me prouver qu'il a du flair. On avance en se tenant par la main, et les vieux qui ont déjà fréquenté ma clairière s'inquiètent de me voir avec un policier. Surtout que je le mène vers eux! Encore à bonne distance, j'arrête mon compagnon, pointe du doigt une de mes victimes et demande quel métier il exerçait. André l'étudie attentivement et réfléchit. Sur le banc, le vieux devient olive. Quand il ne vire pas franchement au vert lime! Il croit que je le dénonce et l'accuse, lit déjà son nom dans les journaux, s'imagine en cour, puis en prison pour le reste de sa vie.

Ce pauvre André, dupe de mon jeu et tout au sien, invente n'importe quoi: c'était un pompier, un chauffeur d'autobus, un soldat, un comptable de banque, un boucher... La première chose qui lui passe par la tête. Je veux qu'on aille vérifier la justesse de ses déductions; dès que nous esquissons un pas dans sa direction, le vieux prend la poudre d'escampette. Ce qui arrange bien André! Moi, le plaisir que j'ai... On les fait tous, l'un après l'autre, et le lendemain mon territoire est vide de gens qui connaissent la buse. Je peux recommencer à traquer en paix le mulot.

Quand les feuilles tombent, la clairière ne peut plus servir de cachette, et à cause du froid plus personne ne s'assoit au parc. Je me demande ce que les buses font en hiver. Peut-être qu'elles émigrent au Sud comme les rouges-gorges? Quant à moi, je m'arrange du mieux que je peux. Si je trouve encore des mulots, la capture s'avère toutefois plus ardue, les prises rares.

La ville fabrique une patinoire sur l'étang du parc. Il y a toujours des personnes du troisième âge qui s'appuient au garde-fou de la promenade et contemplent les jeunes s'amusant sur la glace. Les garçons font des courses ou jouent au hockey, bien que ce soit défendu; les filles patinent avec gaucherie, par deux ou trois, en se donnant la main; des couples vont lentement, enlacés. Moi, je n'ai besoin de personne. J'ai suivi des cours de patinage artistique et continue de m'entraîner. J'aime la vitesse, le vent sur mes joues, le bruit des lames sur la glace. *Schlic! Schlic! Schlic!* L'impression de voler est encore plus vive qu'avec une corde à danser, et le mot «véloce» virevolte constamment dans ma tête.

Pirouettes, figures: on me remarque. Ne m'intéressent que les regards des vieux messieurs dont les pupilles ressemblent à l'entrée obscure d'un terrier de rongeur. Détail imperceptible pour un observateur humain mais que mon œil de rapace détecte alors que je fais le tour de la patinoire. Puis, je file en ligne droite, vite, de plus en plus vite, cesse de battre des pieds, ouvre les bras pour planer, exécute un virage serré devant la proie choisie, fais la toupie en refermant mes ailes pour accélérer ma giration. Ma jupe rouge remonte et dévoile mes cuisses moulées par un collant de laine blanche. Sourire charmé du monsieur. Visage rêveur. J'enchaîne les figures sans le quitter des yeux, et il comprend que c'est pour lui que je danse. Son intérêt s'accroît, et peu à peu une complicité s'établit entre nous. Je vois son âme d'animal pointer le museau à l'entrée du terrier. Le reste n'existe plus, ni pour lui ni pour moi.

Quand il est complètement captivé, je le rejoins sur la promenade de bois et lui demande de relacer mes patins plus serré. Pour qu'il n'ait pas à se pencher, car ils ne sont plus souples à cet âge, je m'assois sur la rambarde, la jambe à l'horizontale, la lame appuyée sur son ventre. Il constate que mes bottines sont correctement lacées, devine que j'ai voulu faire sa connaissance; il consent à la comédie, défait mes lacets en prenant son temps, vante mon adresse et ma grâce. Il masse mes chevilles et parfois, d'une main hésitante, tâte mon genou en demandant si je n'ai pas froid. Nous conversons.

L'hiver, je ne peux frapper vite comme en été, cela prend du temps avant d'en venir à la mise à mort: créer des liens, faire naître une certaine familiarité, une espèce de camaraderie. C'est essentiel si je veux entraîner la victime en terrain découvert, dans un endroit moins sécurisant qu'une clairière isolée au milieu d'un parc. Et puis, on dirait que l'hiver ils ont le sang moins vif. Parce qu'il y a plus d'épaisseurs de vêtements? Une sorte d'hibernation? Ces inconvénients sont amplement compensés: du fait de la familiarité qui existera entre nous, de la confiance qu'il aura en moi, mon pouvoir sera grand et les souffrances de la victime, plus intenses.

Il revient le lendemain me voir patiner, puis le jour suivant et les jours d'après. Il a l'intuition que ce n'est pas innocemment que j'applique ma lame en bas de son ventre, et ses mains s'enhardissent sur mes jambes. J'ai les orteils gelés; il retire ma bottine pour masser mon pied. Si j'ajoute que j'ai également froid aux cuisses, ses joues s'enflamment comme du bois sec, de beaux reflets oranges, et il promène son regard sur les gens autour de nous. Il crève d'envie de me toucher en haut des genoux, mais répond que les autres se feraient des idées fausses, s'imagineraient des choses... J'approuve et dis que ce sont des imbéciles qui ne connaissent rien à l'amitié.

Complicité, effleurements pudiques: les choses progressent petit à petit. Son désir devient pour moi évident; je veux dire, le combat qu'il mène contre son désir, son jeu de fildeferiste sur l'instable compromis qu'il établit entre son excitation à tâter mes mollets et son respect pour l'enfance. Et puis, un soir, il est prêt. Je lui demande de m'aider à traverser la rue, de me reconduire chez moi; sans attendre sa réponse, je saisis sa main et l'emmène. Je sens qu'il s'efforce de chasser certaines pensées, qu'il bat le rappel de sa conscience, de sa morale, de ses principes.

À la maison, je l'invite à entrer; il pourrait m'enlever mes patins. Il craint de déranger, se déclare pressé, tergiverse et discrètement s'informe: «Personne pour t'aider? Ta maman ne rentre pas bientôt?» Je le sens partagé entre le souhait d'éviter les parages de la tentation et celui de frôler le bord de ce précipice. Moment délectable: moi seule peux trancher. Je reprends sa main. Nous n'allons pas à l'appartement. Au fond du hall, des marches descendent à la cave, et en bas, sous l'escalier, se trouve une pièce exiguë où le concierge entrepose seaux et vadrouilles. C'est là que je retire et accroche mes patins; ça évite d'émousser les lames sur le terrazzo ou d'abîmer le plancher des couloirs. Cette resserre, Rodolphe Saint-Arnaud n'y va jamais l'après-midi. C'est le matin qu'il fait l'entretien, et comme il est routinier, on peut se fier à lui...

Je referme sur nous la porte de la pièce au plafond incliné. Le monsieur est toujours aussi inquiet. Il a raison, c'est la trappe d'un piège qui se rabat. Je m'assois sur un tabouret, lève haut ma jambe pour poser ma lame sur sa poitrine. Ainsi, il voit ma fourche; je n'ai pas de culotte et le collant étroit dessine avec netteté le relief de ma vulve. C'est là que son regard s'accroche tandis qu'il défait mes lacets. Il ne parle pas, respire très vite. Sur son front, sourdent quelques gouttes de sueur. Froide, sans doute. Mon pied dans ses mains, soi-disant pour le dégourdir, il en approche ses lèvres et souffle sur mes orteils. Il les trouve glacés et les enfourne carrément dans sa bouche; la salive tiède détrempe le bout de mon collant.

Le temps qu'il garde mon pied entre ses lèvres, plus rien ne compte pour lui, on le dirait absent, mais ensuite il tourne la tête vers la porte, retient sa respiration, tend l'oreille, se rassure. L'autre bottine à présent qu'il déchausse de ses doigts fébriles. Avec mon pied libre, je presse sa poitrine: son cœur bat à tout rompre; je descends sur son ventre, puis entre ses cuisses. Des orteils, je taquine les petites boules sensibles, le membre dont le volume augmente. Aucune parole n'est échangée. Le monsieur a les yeux vitreux. Sous la lumière de l'ampoule nue, la peau de sa face devient transparente et je distingue le réseau de veinules bleues dessous.

Après avoir retiré les deux patins, ses mains remontent le long de mes cuisses. Je lâche un «non!» impératif. Il s'étonne. De deux choses l'une: ou il se ressaisit, s'excuse et veut s'en aller, ou il tombe à genoux et me propose de me faire «minette». Dans un cas comme dans l'autre, il essuie un refus. À ce moment-là, il croit avoir mal interprété mon comportement, avoir pris ses envies pour la réalité.

Debout devant moi, comme devant un juge, les pulsions refluant pour faire place au désarroi, il a l'impression que le monde vacille. Le juge, il est en lui; c'est lui-même qui se déclare coupable: vieillard libidineux qui désire une enfant pure! Je ne suis que le miroir qui lui dévoile la face cachée de lui-même. Cauchemar atroce auquel il cherche un moyen d'échapper. Si seulement mon regard froid et vide n'était pas rivé au sien, une idée lui viendrait. Rien, car je le draine de toute volonté. Interminables secondes. Enfin, je brise le maléfice du silence. Je ne veux pas qu'il me touche; il se hâte d'approuver de la tête, présente ses excuses, annonce qu'il s'en va. Au moment où il est désarmé, car convaincu que le mauvais rêve achève de se dissiper, je bondis sur lui, plante ma main dans sa fourche et le palpe. Incrédulité. Et avant qu'il ait pu esquisser la moindre réaction, j'ai déjà sa queue dans les serres.

Caché sous mon chandail, un gant de cuir. Il appartenait à maman. Ses gants de chevreau avaient coûté fort cher et elle s'est désolée d'avoir égaré celui de la main gauche. J'ai conservé le droit, d'aucune utilité pour elle. Je l'enfile pour masturber le monsieur. Ça m'évite de toucher sa viande à main nue, et je me sens encore plus forte, plus dangereuse: les doigts noirs et effilés paraissent des griffes de corne. C'est bien une patte de buse qui se referme sur le pénis fragile. Tous les messieurs, ça les excite cette main gantée qui les manipule.

Scénario habituel. Quand il approche de son plaisir, je ralentis pour écouter s'il vient quelqu'un; parfois j'entrouvre même la porte en demandant s'il n'a pas lui aussi entendu un pas. Ça suffit à le faire débander, à lui donner une furieuse envie de décamper. Je le supplie de me laisser continuer, il acquiesce; je le ramène près de la conclusion, m'interromps une autre fois en faisant renaître ses velléités de fuite, recommence la branlette, le pousse cette fois jusqu'au stade où il est dans une telle excitation qu'il se fiche bien qu'on nous surprenne. D'abord décharger; après, la fin du monde.

En principe, cet état ne dure que quelques secondes, mais j'arrive à le prolonger en maintenant ma proie juste en deçà du seuil de l'orgasme. Et puis, quand il atteint l'exact point de non-retour, alors que le sperme déjà dans le membre ne pourra plus refluer dans ses réservoirs naturels, j'arrête net: ça ne m'amuse plus, je suis fatiguée, il faut que je rentre. Comme tous les autres, il insiste, larmoyant. Encore quelques secondes, quelques coups de poignet. Après m'être fait prier, je recommence, trop lentement à son gré, en ayant l'air excédée. À la fin, selon l'humeur du moment et la tête du client, je le laisse terminer tout seul ou je conclus avec brusquerie, en serrant si fort que le cuir s'échauffe sous la friction.

Comme l'été au parc, le monsieur déguerpit aussitôt après l'éjaculation, en se jurant bien de ne plus jamais s'y laisser prendre. Je le reconduis à la porte d'entrée en parlant sans arrêt. «C'était bon, hein? Est-ce que je suis la meilleure crosseuse que t'as connue?» Des phrases propres à aiguillonner sa peur. Jeter du sel sur sa conscience aussi meurtrie que son gland est à vif. Il me demande en vain de me taire. Si la chance me sourit, nous croisons quelqu'un dans le hall; le vieux adopte une allure de coupable. Trop drôle! Comme si des gens sans imagination pouvaient soupçonner ce que nous venons de faire!

Le lendemain, je le revois au bord de la patinoire et ne m'occupe pas de lui qui me regarde uniquement à la dérobée. Plus tard, n'y tenant plus, il m'envoie la main. Je l'ignore. Comme il continue, je lui demande, d'une voix forte à cause de la distance, ce qu'il veut. Il est bien en peine de répondre! Moqueuse, je patine en face de lui afin qu'il repense à cette fois où il a connu grâce à moi un mélange inégalable de plaisir et d'angoisse. Il m'interroge des yeux; je réponds encore non de la tête mais poursuis mon exhibition. Longtemps je m'amuse qu'il languisse et, quand il va repartir, je le rejoins, me montre amicale. Si ce changement d'attitude le désoriente, il le cache afin de ne pas me déplaire ou provoquer une attaque. Il me redoute, alors même que renaît en lui une espérance que j'encourage. Pas ce soir, à cause de maman. Une autre fois...

Je sais qu'il n'y aura pas d'autres fois avec lui, cependant le lui laisse supposer. En hiver, le gibier est précieux et il faut en tirer le maximum. Les jours suivants, il est déjà au poste quand j'arrive. Dans le froid, la buse déploie ses ailes et vole avec plus d'aisance encore que l'été. Je ne vais pas tout de suite à lui. D'abord, l'éblouir par mes évolutions, l'étourdir, lui faire oublier ses réticences afin que ne subsiste en lui que la trace du désir. Une braise sur laquelle je souffle pour raviver le feu. Lorsqu'il aura la langue pendante et l'esprit en ébullition, j'enfoncerai des serres invisibles dans sa poitrine, oppresserai son cœur jusqu'à l'arrêter de battre, le libérant juste avant que la proie ne meure. Je l'enlève, le transporte, le lâche de haut, le recapture avant l'écrasement au sol.

Indifférence et intérêt, amitié et moquerie, air prude et regard obscène: durant une semaine au moins, je le balade de l'espoir le plus fou au désespoir le plus poignant. Il ne respire plus que pour ces quelques heures de fin d'après-midi où le cérémonial masturbatoire pourrait se répéter. Sa vie se résume à l'attente, il a le sentiment de n'exister que durant ces minutes où j'évolue devant ses yeux, et il appréhende par-dessus tout cette ultime seconde où je rendrai mon verdict. J'imagine que chaque soir, sa volonté raffermie par la déception quotidienne, il décide de ne plus jamais retourner au parc, de m'oublier complètement. La nuit, il rêve que je le branle, et au matin sa détermination a faibli; elle s'amenuise encore alors que le jour s'avance et, au midi, s'y substitue l'impatience.

Et puis, je me lasse de lui. Alors, je frappe pour tuer. Ce jour-là, en dansant sur la glace, j'ai un visage engageant et j'opine du chef. Oui! C'est pour aujourd'hui. Le bonheur illumine sa face des couleurs de l'aurore. Cramponné au garde-fou, il m'admire béatement, et, chaque fois que je passe devant lui (*Schlic! Schlic! Schlic!*, crissement des plumes dans l'air glacial), je réitère d'un clin d'œil ma promesse. Son hébétude! À l'autre bout de la patinoire, je remplace mon gant de laine par celui de cuir. Et quand, faisant un crochet vis-à-vis de lui, je le salue de la main noire, les doigts arrondis sur un pénis invisible, avec un mouvement de va-et-vient dont lui seul comprend la signification, une joie violente carmine ses joues. Il doit déjà bander!

D'ailleurs, quand je monte finalement sur la promenade, je le trouve enfiévré. Les mots se bousculent dans sa gorge, tant de choses qu'il veut me dire; ses lèvres remuent, et pourtant n'en sort qu'un nuage de buée. Il tend la main vers ma serre de cuir, geste par lequel il s'en remet totalement à moi, laisse qu'il m'offre afin que je le mène dans la petite pièce sous l'escalier. Je retire ma main avant qu'il ne puisse la saisir, le détaille avec une moue ironique. Son air de ravissement se décompose à mesure qu'il devine mon jeu cruel. Visage angélique; pourtant, je masturbe mon index gauche avec les doigts gantés.

Coup de bec: «Pédophile!» Il sursaute, blessé. «Un vieux cochon qu'on devrait enfermer!» Il tressaille. Je souris à nouveau, cette fois, d'un beau sourire franc, et il se décrispe légèrement. Je me fais des yeux lubriques, une voix rauque pour ajouter, d'un ton de connivence: «Et moi, une petite vicieuse. J'aime tenir une queue dans ma main, la secouer, faire couler son lait.» Il soupire, se détend tout à fait. Voilà! les choses sont claires, c'est moi la tentatrice, il n'a rien à se reprocher, sinon la faiblesse d'avoir cédé à mes avances. Certes, je suis méchante, mais pas vraiment dangereuse. Il n'a à craindre de moi qu'un peu de souffrance et, s'il accepte de payer ce prix, se résigne à être le jouet de mes caprices, il aura de temps en temps sa récompense. Je lis tout ça sur son visage, et aussi qu'il se bâtit des châteaux en Espagne, châteaux aux dimensions d'une pièce de débarras sous un escalier. Espace suffisant pour des agonies paradisiaques. Sa face rayonne, d'une opalescence semblable à celle du sperme frais.

Au moment où il s'y attend le moins, je lui tranche la carotide. Voix cinglante de mépris: «J'aime les pénis, mais je ne veux plus toucher ta queue dégueulasse! Tu peux te crosser toi-même! J'ai trouvé un monsieur plus gentil que toi, avec une queue plus grosse et plus dure que la tienne.» Sa détresse! Ils ont tous tellement d'incertitudes au sujet de leur zizi! Adieu veau, vache, cochon, couvée! Il chancelle. Les rêves s'effritent, reste l'implacable réalité de son âge. Je lacère la proie. «L'autre, il a une belle queue rose et je la suce. C'est bon, le monsieur aime ça. Toi, t'es-tu déjà fait sucer par une petite fille? Sûrement pas! Ta queue est trop laide, toute molle, ratatinée. Une vieille queue usée, fanée.»

Il a cent ans! Son dos se courbe, et il s'éloigne, rampe quasiment. Je m'acharne sur lui avec des phrases griffues. Au bout d'un moment, il se retourne, les yeux humides, le regret et la honte inscrits sur le visage. Peut-être échappera-t-il, une tristesse infinie dans la voix: «Petit monstre...» Rien de plus. Il me connaît trop pour m'engueuler comme les vieux de l'été avec leurs «chienne! ordure! putain!». Ces insultes estivales, je les savoure avec gourmandise, mais elles n'ont pas le raffinement de la nourriture que m'offrent les vieux de la patinoire. L'amitié engendre de bien plus beaux chagrins, une souffrance autrement plus consistante.

Si j'abandonne ainsi ce mulot, c'est que depuis quelques jours, j'en ai déniché un autre. Il est plus stimulant de chasser que de se contenter d'une proie déjà captive. Et recommencent les délicates tactiques d'approche, la traque d'une autre victime sous l'œil de celle que je viens de rejeter. C'est plus fort que lui, l'ancien s'amène chaque jour malgré sa souffrance d'être témoin de ma conquête d'un autre. Oh! Comme il doit être malheureux de me voir rire avec le nouveau qui lace mes patins, encore plus malheureux quand nous partons vers la resserre sous l'escalier. Il se demande ce que l'autre a de plus que lui, se rappelle mes commentaires méprisants sur son appareil sexuel. C'est la dernière fois que je le vois, et j'aime croire qu'il est allé se suicider.

La municipalité entretient mal la patinoire extérieure. Après les tempêtes, le déblayage requiert plusieurs jours; s'il pleut, ça demande des semaines avant qu'on refasse une surface unie à la glace devenue raboteuse. C'est très embêtant. J'ai écrit au maire pour me plaindre; il ne m'a pas même répondu! Je l'ai vu à la télévision, c'est presque un vieux monsieur. Si jamais il me tombe entre les pattes...

Quand le patinage est impossible, je reste au chaud à la maison. Pour m'occuper, je range les tiroirs de maman et sa table de maquillage, cire ses bottes et ses souliers, lave sa lingerie. C'est ce que je préfère, m'occuper de ses sous-vêtements. Elle possède de belles choses: tissus soyeux, couleurs tendres, beaucoup de dentelle. Avant de les plonger dans l'eau savonneuse, je respire longuement l'odeur qu'elle y a laissée. Visage dans les rondeurs des soutiens-gorge, nez dans les plis des culottes, tête enveloppée dans les jupons; ses parfums tellement différents, je les adore tous. Parfois je fais un tas de ces vêtements et je me couche dessus; je ferme les yeux et retrouve le plaisir que j'ai à me coller contre maman la nuit.

Avec quel soin je frotte sa lingerie. Mes mains tremblotent, pareilles à celles des vieux messieurs quand ils effleurent mes genoux. Non! Je repousse cette image. Ça me dégoûte de les mêler, fût-ce par une comparaison, à ma relation avec maman. Mon désir d'elle n'a aucune commune mesure avec l'envie qu'ils peuvent avoir de moi; le désir des hommes salit et dégrade, le mien embellit et ennoblit.

Je suspens les pièces de lingerie sur une corde au-dessus de la baignoire, et je les contemple en imaginant que le corps maternel les remplit. Je n'aurai jamais sa beauté, ni sa féminité, et je n'y tiens pas. Les robes élégantes, le maquillage, le parfum et les bijoux, je les apprécie certes, mais pas pour moi, uniquement sur elle. Moi, je me veux forte, dure, capable de tout réussir, afin de pouvoir mieux l'aimer, d'être en mesure un jour de la prendre en charge. Je ne veux rien pour moi-même, ne me définis que par elle: la fille de... l'amoureuse de... Tout ce qui compte pour les gens, ce qu'ils considèrent essentiel dans la vie, je le juge accessoire. Mon bonheur ne peut venir que de maman, et il se nourrit de tout, même d'événements en apparence bénins. Et de choses plus que minimes. Pourvu qu'elle en soit l'origine.

Ses poils pubiens. J'en trouve parfois dans ses petites culottes, piqués à la trame du tissu comme le fil d'or d'un lamé. Je les conserve précieusement. J'en ai caché trois dans mon étui à crayons; quand je m'ennuie trop d'elle durant la classe, j'en place un dans ma bouche, le coince entre mes dents et, de la langue, joue avec lui. Depuis le temps, ils ont perdu leur odeur et leur saveur. Je les recrée sans peine, et à cette évocation, des images, des couleurs et des sons explosent dans ma tête.

Si je retrouve facilement dans ma mémoire l'odeur et la saveur de la chair maternelle, c'est que je les ai souventes fois goûtées. Chaque mois, je recueille ses tampons hygiéniques usagés. J'en frotte les poils dans mon étui à crayons (et ceux que je garde dans ma chambre) afin de leur redonner un peu de la vie de maman. Ensuite, ces tampons, je les suce! Avant d'essayer, la pensée que du sang les imbibait me donna des frissons.

Pourtant, le parfum était bien celui des parties intimes de maman; le goût serait celui de son intérieur. Cela a suffi à me convaincre, et c'est sans aucune répulsion que j'ai posé sur ma langue le tampon souillé.

Salinité en rien comparable à la sapidité du sel de cuisine, plus douce, ronde, moelleuse. Le coton était gonflé et remplissait ma bouche. Indescriptible sentiment frisant presque l'extase. Impression de la manger. Miettes de son être, gouttes de sa substance. Communion. *Ceci est mon corps, ceci est mon sang.* Pourquoi pas? Elle est mon dieu à moi. Je n'ai rien à faire de leur Mulot cloué à un poteau. Et pourquoi un linge sur ses *parties honteuses*? Si ça avait été une femme, on la représenterait nue. Et puis, d'abord, une femme-dieu ne se serait pas laissé crucifier. Ça prenait bien un mâle!

Seul coûtait le premier pas. Et par lui, je franchissais un fleuve, pareille au Petit Poucet avec les bottes de sept lieues. Maintenant, je ramasse précieusement tous les tampons sur lesquels je peux mettre la main. Maman s'en débarrasse en les jetant à la poubelle, enveloppés d'un mouchoir de papier. J'en fais la cueillette et conserve ma récolte dans un sac de plastique afin que les fruits délicats ne se dessèchent pas. Si la chance me sourit, ses menstruations débutent le samedi ou le dimanche: c'est le premier jour qu'elle saigne d'abondance, et quand cela se produit sur semaine, je perds les Tampax dont elle a disposé à son lieu de travail. En me rationnant, j'ai des provisions pour toute une semaine. Chaque soir, je m'endors en suçotant un tampon qu'au matin j'ai encore dans la bouche, propre et effilé, à moitié dévoré.

Une fois, j'en ai poussé un dans mon vagin. Avec beaucoup de difficulté, même si je suis déflorée, parce qu'il était dilaté et mou. Cela m'a fait mal; le coton râpait la peau de mon vagin. Je l'ai quand même fait pénétrer jusqu'à ce que seule la petite corde sorte d'entre mes lèvres. Toute une journée je l'ai gardé, incapable d'oublier, même une seconde, sa présence. C'était maman qui m'habitait. Mais cela m'a tellement irritée que j'en ai eu mal au sexe pendant plusieurs jours.

Depuis, je n'insère en moi qu'un petit bout, juste ce qu'il faut pour que le tampon tienne en place. La plus grande partie dépasse de mon ventre, on dirait une queue rouge et bandée. Pas un pénis d'homme; un phallus que vient de rejeter le vagin de maman, un organe qu'elle a produit pour m'en faire cadeau. Je me promène devant le miroir afin de le voir osciller tel un membre de chair. J'aimerais la fourrer avec; une moitié en moi, une moitié en elle. Un trait d'union qui joint deux mots. Les yeux clos, je balance mon bassin d'avant en arrière, rêve que nous nous prenons mutuellement.

J'ignore quand je vais m'arrêter sur cette pente où je glisse vers maman, si même je m'arrêterai. Plus j'ai d'elle, plus j'en veux. Une fois, elle avait oublié de tirer la chaîne après avoir fait pipi. Une grosse envie du matin, d'un magnifique jaune doré. J'en ai bu un plein verre en me figurant qu'elle urinait directement dans ma bouche. Notre toilette ne fonctionne pas à la perfection; un peu paresseuse: tout ne part pas toujours du premier coup. Quand maman sort de la salle de bains, je vérifie s'il ne flotte pas encore une petite crotte dans le bol. Lorsque cela arrive, je la repêche. Molle, je l'écrase entre mes doigts et la pétris ainsi que de la pâte à modeler. Dure, je la frotte sur ma vulve et la pousse un peu à l'intérieur. Dans un cas comme dans l'autre, je la goûte, histoire de m'habituer, et un jour, je dégusterai le caca de maman.

Pour le commun des mortels, ça peut paraître répugnant. C'est qu'ils n'ont jamais aimé, sinon du bout du cœur, sans pouvoir se départir d'une certaine avarice. Quand on aime avec la totalité de son être, cet amour englobe aussi la partie de l'univers contiguë à l'objet aimé. Alors, tout ce qui touche le corps de l'autre est suave, à plus forte raison ce qui vient de son intérieur. Ce qui m'arrive de ou par maman m'est précieux; ainsi, cette gifle qu'une fois elle m'a donnée. Mes yeux se sont remplis de larmes. Larmes d'émotion! Les siennes en étaient de désarroi, et elle s'est jetée à genoux pour me demander pardon. Je lui tendais l'autre joue car j'aurais volontiers éprouvé à nouveau la brûlure de sa main. Frappe-moi! Frappe-moi, et tu mesureras la puissance de mes sentiments. D'elle, j'accepterais n'importe quoi avec gratitude, même les pires sévices. Tant qu'elle m'aime... Tant que nos jours continuent de se confondre...

Tout serait pour le mieux dans le meilleur des mondes, si... si seulement, elle n'avait besoin d'une queue à l'occasion. Que ne puis-je lui enseigner à se passer de pénis, à désirer plutôt le corps et les caresses d'une autre femme! En l'occurrence, moi. Je deviendrais son amante, à jamais. Comment la rendre lesbienne? Elle n'a même pas perdu son attirance pour les mâles malgré la vie infernale que lui a fait subir son ancien mari! S'il en est un qui a étalé au grand jour la veulerie propre à ces rongeurs humains, c'est bien lui.

Cette question de l'amour entre femmes me passionne, surtout dans sa dimension physique. Je n'ai trouvé qu'un livre qui en parlait; des poèmes, assez explicites pour faire rêver, trop vagues pour renseigner. Il y a deux «femmes aux femmes» qui habitent notre bloc. Une jolie, l'autre moche et un peu plus vieille. Leur couple me fascine, cependant elles sont discrètes, pas moyen de connaître grand-chose de leur vie. Peut-être qu'un jour je me risquerai à demander des conseils à la plus âgée, celle qui décide et dirige, un peu comme un mari. Quitte à me faire initier pour savoir ensuite comment initier quelqu'un... Toutefois, elle ne me plaît pas, et, en plus, j'aurais l'impression de tromper maman.

M. Saint-Arnaud dissimule des revues pornographiques dans la pièce de débarras sous l'escalier de la cave.

Plusieurs où l'on ne voit que des femmes: *Lesbian Lust, Sorority Sisters, Tits and Asses*. Depuis leur découverte, je les feuillette de temps en temps. Ça perfectionne mon anglais! Des mots qu'on n'apprend pas à l'école... Bien sûr, ce sont davantage les images qui m'intéressent. Je nous vois, maman et moi, à la place de ces femmes. Elle n'aurait qu'à me laisser agir, je m'occuperais de la caresser et de la faire jouir. Et elle crierait: «Oui, oui, oui... Ma chérie, ma Sophie chérie... Encore, encore... Ah! Ah! Je t'aime, je t'aime!»

Oh! Téter son sexe! La sucer, la croquer, la manger. Et surtout, qu'elle le sache, qu'elle me voit en action. Car... son sexe, je l'ai déjà embrassé en secret. Deux fois. Des nuits où j'avais doublé sa dose de somnifères. Je ne savais pas jusqu'où ça irait. J'étais entrée sous les couvertures, uniquement avec l'intention d'examiner ses parties intimes à l'aide de ma petite lampe de poche. J'étais en extase devant cette fleur de chair, cette œuvre d'art d'une perfection incomparable. Pour mieux voir, il m'a fallu écarter les grandes lèvres. Mon visage était tout près, si près qu'un sirocco de parfums me brûlait les narines, me desséchait la gorge, et je n'ai pu résister à la tentation de toucher son sexe du bout de la langue. Alors, j'ai perdu la tête. Une soif si grande! et j'avais trouvé la fontaine! J'ai bu, j'ai bu les humeurs que je faisais sourdre. *Ptap! Ptap! Ptap!* Comme la musique des gouttes qui tombent d'un robinet qui fuit. J'ai léché les plis et les replis, le clitoris; poussé ma langue dans le vagin, aussi loin que j'ai pu, jusqu'à ce que le frein se blesse sur mes dents. Maman a joui, dans un frémissement des cuisses et du ventre, en gloussant tout bas et très longtemps.

Pour sûr, le meilleur orgasme de sa vie. Et il lui venait de moi! J'aurais aimé qu'elle soit éveillée et consentante... Cela m'a énervée à un tel point, qu'ensuite je ne trouvai pas le repos. Sur ma motte, j'ai posé sa main endormie. J'ai guidé son pouce dans ma fente et l'ai manœuvré pour qu'il agace mon clitoris. C'était divin, et je crois que moi aussi j'ai eu un orgasme. Encore que je n'en sois pas certaine, n'ayant aucun point de référence. Le «plaisir solitaire», très peu pour moi, merci. Auparavant, je m'étais masturbée une seule fois, sans résultat. Et l'aventure avec le pouce de maman ne s'est pas répétée.

Le lendemain, je n'ai pas cessé de repenser à cette expérience. Après coup, mon geste m'apparaissait pure démence. Si elle s'était réveillée et, saisie d'horreur, s'était mise à me détester? Au fil des heures, j'en suis venue à croire impossible qu'elle n'ait pas eu connaissance que je lui faisais l'amour. Peut-être s'imaginait-elle que j'agissais en somnambule? Ou bien, sa surprise était si grande, qu'elle ne savait pas comment réagir? Elle n'aurait rien dit, rien fait pour m'arrêter, mimant le sommeil. Un espoir fou m'habita: si elle s'était prêtée à moi, au début un peu contre son gré, m'avait laissé poursuivre l'acte jusqu'au bout, c'est qu'alors elle avait découvert le bonheur d'être aimée par une autre femme. Je l'avais apprivoisée au plaisir lesbien! Qui sait si je ne lui avais pas révélé sa véritable nature?

Ce soir-là et les jours suivants, j'ai guetté en vain chez mon amante un signe des temps nouveaux. Je n'espérais pas d'allusion, non, rien qu'une subtile variation dans la qualité de notre affection, un léger dérapage dans l'expression de son amour. Une manière différente de me regarder, de m'embrasser, d'effleurer ma joue. J'ai dû me rendre à l'évidence: j'avais bâti des chimères, c'était bien une absente que j'avais honorée buccalement. Une grande peine m'est venue, que je ne pouvais d'aucune façon exprimer, et qui s'est muée en une colère proportionnelle, portance pour les ailes de la buse. Me fallait tuer!

En raison d'un gros dégel suivi de chutes de neige puis de verglas, la patinoire a pris l'aspect de montagnes russes. La saison de patinage est fichue alors qu'il reste encore deux ou trois mois avant les premières feuilles et mes vols en corde à danser. Époque de famine! Pourtant, plus que jamais besoin de me défouler.

À présent, je chasse à l'affût, ainsi qu'une buse perchée guette les proies qui trottinent sur la neige. Quoique les miennes piétinent plutôt dans la sloche! Les jours de grand froid, je me poste dans l'entrée du building et surveille l'arrêt d'autobus situé à quelques pas de notre porte. Il y a un foyer pour personnes âgées dans le voisinage, et souvent des vieux attendent le bus en face de chez nous. Quand j'en vois un qui me convient, je l'invite à venir se mettre au chaud dans le hall. En général, il accepte avec empressement. Il s'assoit sur une des chaises alignées devant le calorifère; moi, dans la troisième marche de l'escalier, pour être juste au bon niveau. Nous parlons de choses et d'autres, il me trouve gentille et amusante. Sa voix se trouble quand j'écarte mes cuisses avec une nonchalance affectée: ma fente baille exactement à hauteur de ses yeux!

J'ouvre et ferme les jambes machinalement et, lorsque je constate qu'il est hypnotisé, je lui fais comprendre que mon exhibition est consciente et voulue. Soit qu'il se lève en disant qu'il entend arriver l'autobus, ce qui n'est pas vrai, et je le laisse filer, assurée que le lendemain il viendra à nouveau se réchauffer (dès que j'ai vu une certaine lueur dans son regard, je sais qu'il est fait); soit qu'il ne s'apeure pas et admire avec insolence ma vulve, pareil à une souris gloutonne devant une gros fromage (celui-là, je le croque le jour même).

Si c'est un vicieux, il murmure des propositions très claires: belle petite chose que j'ai là, la plus belle qu'il ait jamais vue; ça doit goûter bon comme tout! est-ce que je la chatouille des fois? il peut me montrer comment. Alors, je lui coupe net le sifflet: «Veux-tu que je te crosse, monsieur?» Je vais au sommet de l'escalier du sous-sol; abasourdi par la tournure que prennent les événements, il est écrasé sur la chaise. Je lui fais signe de me suivre. Valse-hésitation. C'est un endroit sûr? Pas de danger qu'on y vienne?

Avec les timides, les respectables que des propos explicites feraient fuir, point de paroles. Comme l'été au parc, tout se dit avec les yeux, tout se passe en silence. Faut leur fourrager l'âme pendant plusieurs jours avant qu'ils m'emboîtent le pas dans cette volée de marches qui descendent à l'enfer. Le leur. Mais, quoi qu'il en soit, tous les mulots se retrouvent finalement dans le débarras où j'enfile mon gant de cuir noir et me mets vite au travail. Garde tes mains chez toi! Non, je ne veux pas que tu me touches! Non, je ne veux pas l'embrasser! Devant mon entêtement, ils se laissent manier avec passivité. Et je leur joue le duo coutumier du plaisir et de la peur.

Avec certains, les grands vieillards qui ont déjà un pied profondément enfoncé dans la tombe, mon petit jeu ne prend pas. Je n'ai pas l'habitude des clients de cet acabit, trop impotents pour marcher jusqu'au parc. C'est la proximité du foyer qui les place sur ma route. Plus ils sont vieux, plus ils sont cochons, plus ils se fichent du flagrant délit de détournement de mineure. Comme s'ils n'avaient plus grand-chose à craindre du monde et de la vie... Mais, ils ne perdent rien pour attendre! Le lendemain, ils en seront pour leurs frais.

Car ceux-là reviennent et, me voyant dans le hall, y pénètrent sans invitation, sûrs d'eux, confiants d'avoir déniché une petite «ouvrière manuelle» qui leur fera bon usage jusqu'au jour où le couvercle du cercueil se refermera sur eux. Déjà bandés, le menton luisant de salive, ils n'entendent pas mon refus. Même les plaisanteries injurieuses à propos de leur queue les font sourire. Aucune fierté. L'irrépressible besoin de jouir avant de crever, une autre fois, peut-être la dernière, décharger encore un petit coup, même si cette dépense d'énergie devait hâter leur trépas. Ça ne m'étonnerait pas que dans les cimetières, les morts se branlent tant que les vers leur laissent assez de chair pour ça!

Je leur conseille de partir: c'est devenu dangereux. Ils fanfaronnent. Je précise la menace: le concierge nous a vus; avertie, ma mère a téléphoné à la police; l'édifice doit être surveillé. L'effet est foudroyant! Ils filent sans un au revoir, la queue entre les fesses, le collet relevé, le chapeau rabattu sur les yeux. Ils marchent aussi vite que le permettent leurs vieilles jambes fatiguées. Quand ils ont déjà franchi une dizaine de pas, j'ouvre la porte et crie: «C'est lui! C'est lui!» Évidemment, les passants, s'il y en a, ne comprennent pas de quoi il retourne et ne font pas attention. Mon mulot aux abois, lui, croit que je le désigne aux policiers cachés dans les parages, et accélère le pas pour aller se réfugier dans son foyer. Pourvu que son cœur ne flanche pas avant qu'il soit à l'abri!

Ils doivent s'être passé le mot à la résidence des vieux; au bout de quelques semaines, plus un seul ne répond à mes invitations. C'est vrai qu'à présent, M. Saint-Arnaud se tient souvent dans le hall en fin d'après-midi. Il s'est aperçu que j'amenais des messieurs dans la cave et me l'a interdit. Je l'ai accusé de jalousie et mis au défi de prévenir ma mère. «Par la même occasion, tu lui diras que c'est toi qui m'a enseigné comment crosser un homme.» Son visage! Un arc-en-ciel renversé. La bande violet du menton et de la mâchoire, la barre rouge du front, et entre les deux, le bleu du nez, le vert des joues, le jaune des yeux. Le pauvre idiot s'imagine encore que c'est lui qui m'a débauchée! Il ne s'est jamais rendu compte que c'est moi qui ai excité son désir, brisé ses résistances, l'ai fait marcher à la baguette tout au long de l'affaire.

Les remontrances s'avérant inopérantes, il m'a annoncé qu'il installerait une serrure à la porte du réduit. J'ai ri: «Pour que Rosemonde trouve pas tes revues cochonnes?» Cette fois, il est simplement devenu bleu royal. Puis, il s'est radouci et m'a suppliée. Une fois, rien qu'une fois... Pourquoi n'importe qui et jamais lui? J'ai répondu que j'aimais la variété. Il pourrait m'enseigner des choses nouvelles, plus amusantes, très agréables. «Comme dans tes revues?» Oui, et d'autres encore.

J'ai répliqué que j'y songerais, qu'on verrait en temps et lieu. Peut-être qu'éventuellement... Et le revoilà transporté par l'espérance, qui guette chaque jour mon retour de l'école, m'intercepte avant que j'entre chez sa femme ou aille chez moi. Pas de refus net et ferme. Plus tard, une autre fois. Aujourd'hui, ça ne me tente pas, je suis fatiguée. Durant des semaines, je joue au yo-yo avec lui: espoir, déception, espoir, déception. Aller et retour.

Arrive la semaine de congé scolaire. J'aurais aimé que cette année encore maman puisse m'emmener en voyage dans le Sud. N'importe où, soleil ou pas, plage ou non. Même au fin fond de la Beauce! Sept jours avec elle... Mais il lui est impossible de prendre des vacances. Afin de ne pas troubler sa quiétude, j'ai tu ma déception. Une semaine! Et le jour, je n'aurai même pas l'école pour me distraire un tant soit peu de son absence. Ce qui me plaît d'habitude, la lecture, le dessin et l'entretien des vêtements maternels, ne me dit rien aujourd'hui.

Des pis-aller qui me rendraient plus aiguë la conscience de la privation. M'habite une rage sourde que je dois passer sur quelqu'un. M. Saint-Arnaud. Je le réservais au cas d'urgence, c'en est une! Il en voulait des attouchements, il en aura plus que sa part...

Le premier matin, je l'observe qui lave les escaliers. Il commence au troisième étage et finit par le rez-de-chaussée. Je m'assois en haut de lui, sans culotte sous ma jupe. À mesure qu'il descend d'une marche, je le suis. Il frotte de plus en plus lentement, toute son attention captée par la vue de mon sexe. Le souffle court, il implore. Non! Il tend la main: juste y toucher un peu? une fois... «Bas les battes, ou je hurle!» Il se remet à frotter, décidé à ne plus me regarder. Il y parvient durant deux marches, puis ça recommence.

L'après-midi, je décroche le flotteur dans la cuvette, et j'appelle Rosemonde afin qu'elle envoie son mari réparer notre toilette. Il arrive une heure plus tard et je l'accueille dans une totale nudité. Son haleine empeste l'alcool: il a bu pour se donner le courage de m'affronter! Il fait semblant de ne pas s'apercevoir de ma tenue. À la salle de bains, j'adopte des poses suggestives pendant qu'il effectue la «réparation»; lui, m'admire du coin de l'œil plus qu'il ne travaille. Ça ne prendrait qu'une minute pour raccrocher le flotteur, cependant il farfouille une demi-heure dans le réservoir en ayant l'air d'accomplir une besogne délicate.

Tout à coup, il bondit sur moi à l'improviste, m'empoigne de ses mains mouillées, m'enlève sur son épaule et court dans ma chambre où il me jette sur le lit. Pas un cri de ma part durant le rapt, et maintenant je suis sans réaction. Debout, il défait sa ceinture, retire son pantalon, baisse son slip et montre son pénis en érection. Tout ce temps, il marmonne entre les dents «ma petite Christ d'agace-pissette, tu vas passer à la poêle à frire!» et autres inepties qui témoignent de son état d'esprit. Une voix colérique, un ton décidé. Étendue sur le dos, les mains derrière la nuque, je le regarde sans perdre mon sourire narquois.

Quand il va se jeter sur moi, je lâche: «Tu veux te retrouver en prison avec mon père?» Il se fige net. Sa superbe de mâle conquérant fait place au visage piteux d'un enfant pris en faute. Ses yeux s'humidifient. Il minaude. Je refuse qu'il me touche, refuse de le toucher. Longtemps nous nous dévisageons en silence. Je me compose un air de sévérité; la cruauté du regard, je n'ai pas à l'inventer, elle s'installe d'elle-même. Je le sens qui s'écrase, courbe l'échine, se soumet ainsi qu'il le fait devant Rosemonde. Un grisant sentiment de puissance m'envahit, que je veux sur-le-champ mettre à l'épreuve.

Il tient toujours d'une main son membre bandé. J'ordonne: «Branle-toi!» Il reste interdit. D'une voix plus impérieuse, je réitère l'ordre par trois fois, et ça y est! Il caresse sa queue au-dessus de moi, d'abord par gestes hésitants, puis délibérés, bientôt avec une sorte de fureur. Je l'encourage par des invectives. «Crosse-toi, vieux bouc! Plus vite! Secoue-la ta sale queue!» Il râle fort. Yeux qui louchent. *Floc! Floc! Floc!* De grosses gouttes s'écrasent sur mon ventre et ma poitrine. Ahanant, il continue de se masturber jusqu'à ce que plus rien ne sorte et que son pénis ramollisse.

J'indique mon ventre. «Essuie ton dégât! Avec ta langue.» Il sursaute, revient à la réalité et s'esclaffe: «Si tu penses!» Il m'échappe, et j'essaie de le rattraper de la seule force de mon regard, n'y arrive pas. Maintenant qu'il a vidé ses boules... Alors, je me lève et me dirige vers la sortie: «Je vais montrer ça à Rosemonde.» Il court derrière moi, m'invite à ne pas faire la folle. Sa voix chevrote. Je sens que de me réclamer de sa femme a raffermi mon emprise sur lui. La main sur la poignée de la porte, je répète mon commandement avec la même autorité que tantôt.

Il est presque deux fois plus grand que moi, mais sa petitesse devient de plus en plus flagrante. «À genoux, concierge! Fais ton travail.» Il obéit et lape, avec répulsion, son sperme qu'il va ensuite recracher dans le lavabo. Il quitte l'appartement sans mot dire, humilié; regards méchants qu'il n'ose diriger sur moi. Longtemps je savoure mon triomphe et, le reste du jour, j'ai l'âme en paix, l'esprit disponible pour la lecture.

Le lendemain, M. Saint-Arnaud me fuit. Alors, je le harcèle. J'ai ma corde à danser et, *Shlak! Shlak! Shlak!*, je vole dans les couloirs, dégringole les escaliers en piqué. M. Saint-Arnaud me le défend: c'est dangereux et, surtout, ça dérange les autres locataires. C'est plutôt lui que le bruit d'ailes agace. Il ne peut oublier ma présence, même quand je manœuvre à un autre étage que celui où il travaille. Je volette à quelques pas de lui. «Ne saute pas là, je viens de laver! Va jouer ailleurs.» Pour le narguer, je danse dans les flaques et ma corde l'éclabousse. Aujourd'hui, je le suis comme son ombre.

Ce matin, je l'ai entrepris au fond du couloir du troisième. À l'improviste, j'ai fourré mes mains dans sa fourche. Des mois et des mois qu'il rêvait de cela! Il en est resté coi, et avant même qu'il ait eu le temps de reprendre ses esprits, je le masturbais avec frénésie. Sa semence a giclé sur le plancher juste nettoyé. Tout s'est fait tellement vite, que la terreur n'est venue qu'après son plaisir. Il m'a sermonnée: en plein couloir! la porte d'un des six logements pouvait s'ouvrir à tout moment! Sermonnée sans grande conviction; il était heureux.

Deux heures plus tard, je recommence sur le palier entre le premier et le deuxième. Cette fois, l'opération demande plus de temps, et le bonhomme est nerveux, aux aguets du début à la fin. Il tourne constamment la tête pour surveiller le bas et le haut de l'escalier. La troisième fois, c'est après le dîner. Il faut que j'insiste car il est repu. Je vante la beauté de sa queue, affirme que je suis folle d'elle, et il me croit! À la quatrième séance de masturbation, un peu découragé, il déclare que je suis insatiable, que je vais le faire mourir d'épuisement, mais de toute évidence, il est flatté que je le «désire» et au comble du bonheur que je m'occupe de lui. Ensuite, il s'exclame avec fierté: «Quatre fois! Quatre fois dans la même journée!» Je pense que ça ne lui était jamais arrivé. Il dit que je suis terrible et merveilleuse, et qu'on inventera d'autres jeux; à ses regards, je comprends qu'il a des visées sur mon corps. Comptes-y, mon Rodolphe! Je n'ai plus rien à retirer de toi, sinon la joie de goûter ton dépit.

Le jour d'après, M. Saint-Arnaud s'attend que ça continue; je reste enfermée dans notre appartement. Il téléphone et me demande de le rejoindre au sous-sol. Je décline l'offre. À plusieurs reprises, il vient frapper doucement à la porte en répétant mon nom tout bas, comme un chat qui gratte et miaule pour rentrer. Je le fais poiroter; il ne me verra pas de la journée. Le matin suivant, je vais déjeuner avec Rosemonde après que maman soit partie au travail. Chaque fois que sa femme tourne le dos, il m'interroge du regard. C'est toujours non. Et jusqu'au soir, je le talonne, sourde à ses suppliques, toutefois aguichante, m'esquivant prestement quand ses mains cherchent à m'attraper.

Trois jours durant, je prolonge le supplice. Il est en train de devenir fou, et Rosemonde s'inquiète de le voir qui ne tient plus en place. Le vendredi, je repousse sèchement ses avances et lui précise qu'il en sera toujours ainsi désormais. Décision irrévocable. En prime, le conseil de ne plus m'importuner, sinon... J'ai eu grâce à toi une splendide semaine de vacances. C'est fini. Merci. Crève. Son air misérable!

Je racontai à maman que j'avais occupé mes journées à aider le concierge dans son ménage. Quand elle le remercia d'avoir pris soin de moi durant toute cette

Depuis cette semaine mémorable, je suis honnie par le concierge, même s'il passe ses jours à me désirer, ses nuits à me prendre en rêve. Jusqu'à sa mort, le hantera le regret nostalgique d'un paradis perdu. Par d'occasionnelles allusions, je fais en sorte qu'il n'oublie ni le plaisir révolu ni sa haine actuelle. La haine, je la recherche, je la suscite, je m'en délecte. L'on ne déteste que ceux qu'on craint, l'on ne craint que les forts, ne sont forts que ceux qui désorientent parce qu'imprévisibles.

Je suis imprévisible. Personne ne peut jamais présager ma conduite; je m'étonne moi-même! Les choses, je les fais sans avoir besoin de réfléchir d'avance, en cela semblable aux animaux avec leur fameux instinct. Je m'en remets au hasard, j'improvise selon les circonstances ou mon humeur. Ce n'est qu'après coup que je comprends le sens de mon comportement, car il y a une certaine logique des gestes impulsifs. On dirait que tout vient à point, que tout arrive pour le mieux sans qu'il soit nécessaire de pousser à la roue. Ainsi, quand je me suis mise dans le pétrin, nul besoin de chercher des moyens d'en sortir; cela se fera tout seul, par la force des choses ou la magie de l'intuition.

C'est ainsi que cela se passe avec les vieux messieurs. Mon récit sent le calcul, la manigance. Pourtant, ce n'est pas le cas; sur le moment j'ai agi sans penser à plus tard ni préparer l'étape suivante. Une série de coups de tête.

Bien après, je réalise que j'ai suivi ce qui ressemble à un itinéraire, un chemin balisé. Pas plus avec mes camarades d'école qu'avec les mulots du parc je ne connais le pourquoi de mes actes. En arrivant en classe le matin, je n'ai aucun plan préconçu; je réagis aux situations, j'en provoque. Je ne suis pas de ces filles qui essaient de tout prévoir, qui se disent: «Je vais faire ci, elle va faire ça, alors... et puis... ensuite...» Surtout que ça ne fonctionne jamais! La vie n'est pas une partie d'échecs ou de Scrabble©. Tandis qu'avec ma méthode qui n'en est pas une...

Un jour, je m'aperçois qu'une fille me considère sa meilleure amie, son amie pour toujours, et n'imagine plus sa vie possible sans mon amitié. En passant en revue mes agissements des semaines précédentes, je me rends compte que depuis un certain temps j'ai manœuvré pour qu'il en soit ainsi. Plus tard, je découvrirai que cette même fille souffre de mon abandon et commence à me prendre en grippe tout en m'aimant encore, qu'elle attend de moi une parole, appel ou rejet, qui la délivrerait. Un examen de conscience me montrera comment j'ai joué avec elle, fait naître le doute, créé la déception, dosé progressivement son malheur. Sans prêter attention aux gestes, tout à la dégustation des sentiments par moi engendrés. Je ne suis que l'instrument de la fatalité.

Parfois, un drame éclate à l'école, le groupe est divisé, les filles s'entre-déchirent. Et je suis la première surprise de constater que c'est moi qui ai semé la zizanie! Encore une fois sans vraiment le vouloir, sans que le projet en ait été arrêté. Par une série d'actions et de réactions marquées au coin de la spontanéité. C'est tellement facile de malmener un groupe: il ne s'agit que d'en détruire symboliquement le chef, ou d'en retirer le souffre-douleur qui cimente l'union. Avec un individu, la chose est encore plus aisée: le désir est un levier qui rend possible toutes les manœuvres.

Les êtres les plus vulnérables, ce sont les filles laides ou très belles. Les laides, parce qu'elles ne s'attendent pas qu'on puisse s'intéresser à elles et accueillent la moindre attention ainsi qu'une précieuse aumône. Et, lorsqu'elles ont l'assurance qu'on les aime, alors elles ouvrent les vannes, la passion déferle. Quant aux plus belles, situation identique mais en négatif: elles sont généralement solitaires parce que les autres ne croient pas qu'elles puissent s'intéresser à eux. Les belles et les laides se révèlent sublimes, tant dans leur amitié effrénée que dans leur désespoir sans limite. Quand elles m'aiment, je peux les amener à faire n'importe quoi; plus de respect humain, plus d'orgueil, plus de morale.

Il est plus difficile de prendre les filles ordinaires aux filets de l'amitié. Mais j'y parviens. Et à la fin de l'année, toutes les élèves de la classe ont été amoureuses de moi, puis déçues, et me détestent. Susceptibles pourtant de donner à nouveau dans le panneau! Quand on apprend à les connaître, les filles ordinaires, on s'aperçoit que personne n'est ordinaire. À moins que tous le soient? Auquel cas, l'explication devient d'une grande simplicité: chacun rêve que, pour une personne au moins, il cesse d'être ordinaire. C'est flagrant avec les vieux messieurs; chacun veut avoir été remarqué, choisi entre tous les autres. Leur malheur: comprendre que c'aurait pu être n'importe qui, deviner qu'il y en a eu d'autres avant, voir que ça ne s'arrête pas avec eux. Chacun se croit le centre du monde; l'anonymat constitue la pire des calamités. L'être humain n'est pas tant un animal social qu'une bête de scène: il a besoin d'un public témoin de sa vie, qui le consacre vedette, même si ce public se résume à un seul spectateur.

Je ne fais pas exception à la règle et souhaite être l'élue pour maman. Voilà pourquoi avec elle je n'ai rien d'un oiseau de proie. Plutôt une victime de l'amour. Désarmée. Sans ressources. Dans mon rapport à elle, ma

Pour mon anniversaire, le plus beau cadeau qui se puisse imaginer: une fin de semaine à Toronto! M'enchante, non pas tant le dépaysement que la perspective de vivre ces deux cent mille secondes en constante intimité avec maman. Elle m'a aussi offert ce qu'elle appelle de «vrais cadeaux»: une chaînette avec un pendentif en agate, le gros dictionnaire Lexis, et un nouveau jeu de Scrabble©.

Le voyage est à mes yeux le présent le plus précieux. Un esprit terre-à-terre dirait qu'un cadeau de cette nature, il n'en reste rien ensuite, sauf des souvenirs, alors qu'un objet on le conserve longtemps après la fête. C'est une pensée de mesquin qui se double d'un idiot braqué sur l'avenir. Moi, je n'amasse pas comme l'écureuil. Sur le moment, le voyage est bien plus agréable que n'importe quel objet, et moi je ne vis que dans le présent. Hier, c'est fini. Demain, je ne sais pas. Je ne fais jamais de projets pour plus d'une journée à l'avance, c'est le meilleur moyen d'éviter les déceptions.

Dans le train à moitié vide, nous occupons deux bancs face en face. Jusqu'au souper, nous parlons. Maman surtout. L'écouter me ravit. Sa voix si ronde, si chaude, je la connais assez pour être en mesure de l'inventer dans mon oreille, mais chaque fois qu'elle ouvre la bouche, je tressaille de surprise et d'émoi. Tombe sous le coup de la fascination. Ses phrases tel un chant scandé par le bruit régulier du train sur les rails. *Tchak! tchak!* un silence. *Tchak! tchak!* un silence. Je deviens une grande fille. Onze ans! Incroyable...

Il lui semble qu'hier encore j'étais un poupon qui pleurait, juste pour qu'elle me prenne dans ses bras. De mon berceau, je ne la quittais jamais des yeux. Premiers pas, j'étais toujours fourrée dans ses jambes, la suivais où qu'elle aille, rechignais dès que je la perdais de vue. Mes nattes. La maternelle. L'école. Tout cela a défilé si vite... Ce passé, d'où elle gomme la silhouette de son ex-mari, elle l'évoque avec des yeux pleins d'eau. Elle se dit des fois qu'elle n'a pas assez savouré mon enfance, qu'elle aurait dû mieux me regarder grandir, jouer plus souvent avec moi, trouver des moyens de ralentir la course folle des années.

Enjouée, je réponds que je suis toujours là, encore une enfant, et qu'elle n'a qu'à reprendre le temps perdu; je ne demande pas mieux! Elle acquiesce et ajoute quelque chose qui au début me remplit de joie mais dont la fin m'attriste. Il faut que nous profitions des prochaines années pour nous aimer, car elles vont passer très rapidement; demain, j'aurai quinze, dix-huit ans, et une existence de plus en plus autonome. Nous nous perdrons un peu de vue, la vie nous séparera en quelque sorte, ce qui est normal. Je proteste: c'est elle ma vie! Touchée, elle sourit; je devine qu'elle ne sent pas ce qu'il y a d'absolu dans ma déclaration. Pas l'absolu irréfléchi, donc sans grande conséquence, propre aux enfants; la vision totalitaire, la finalité globalisante dont parfois un adulte sait être capable. Et je n'emploie pas ces mots dans l'à-peu-près...

Avec un brin de tristesse dans la voix, elle poursuit: «Tu es ma raison de vivre. Mais il faut déjà que je me fasse à l'idée que je te perdrai: un homme deviendra ta vie.» Je suis trop secouée pour protester et je frémis car ses propos pourraient s'appliquer textuellement à elle.

C'est peut-être un souhait qu'elle travestit de la sorte: qu'un homme devienne **sa** vie! Cette inquiétude, je l'ai toujours quand elle sort avec un ami, admire un homme dans la rue ou même dans un magazine; et voici qu'elle me rattrape dans le train qui nous emporte à Toronto. Au prix d'un effort surhumain, je chasse la mélancolie qui m'envahit.

Maman donne un autre tour à la conversation, évoque encore une fois les «choses de la vie» sous prétexte que bientôt j'aurai mes menstrues. Sa voix se trouble quand elle mentionne la pénétration sexuelle, manifestation physique de l'amour et moyen de procréer les enfants. Je devine que son malaise vient de ce qu'elle songe au «viol» que j'ai «subi» aux mains de son ancien mari. Cela me redonne ma bonne humeur en me rappelant que depuis ce jour, j'ai maman pour moi seule. Me rassure aussi: le cas échéant, je saurais bien trouver le moyen de la conserver.

Je lui demande si les hommes sont une nécessité incontournable, si les femmes ne peuvent pas s'arranger entre elles. Elle s'emberlificote dans une explication décousue: oui, il y a des femmes qui n'aiment que les femmes, comme nos deux voisines, mais elles sont malheureuses. L'homosexualité n'est qu'une manière de pallier un problème intérieur. Ces femmes n'atteignent pas leur plein développement, il leur manque toujours une dimension essentielle de l'amour, la rencontre de l'autre sexe. Cela ne me convainc pas du tout, cependant j'évite de l'inquiéter par des questions plus précises, une argumentation qui *lui mettrait la puce à l'oreille*.

Dans le wagon-restaurant, nous nous moquons tout bas des autres clients, tentons de pressentir leur caractère, leurs manies et leurs défauts; aux hommes qu'elle juge attirants, j'invente des tares cachées. Après le repas, nous faisons une partie de Scrabble©. Maman me félicite de l'étendue de mon vocabulaire et me recommande de continuer à lire et à me cultiver. Elle me redit à quel point elle apprécie mon sens des responsabilités, ma débrouillardise, quoique l'inquiète tant de sérieux à mon âge. «N'oublie pas de t'amuser, garde de l'insouciance, ne te dépêche pas trop de vieillir, c'est la seule enfance que tu auras.» Elle est adorable, ma petite maman!

La partie terminée (malgré mes efforts, impossible de la faire gagner; pourtant, je lui préparais le terrain pour placer des mots payants...), nous nous installons pour lire. Chacune sur une banquette, les pieds déchaussés posés sur le siège à côté de l'autre. De la main gauche, je tiens mon livre, *le Petit Chose* de A. Daudet, et de la droite je masse les orteils de maman. Un pied après l'autre, machinalement pourrait-on croire, alors qu'en fait toute mon attention est accaparée par ce geste. Incapable de lire, je tourne les feuilles avec régularité cependant que mon regard passe juste au-dessus du bouquin pour s'attacher au visage aimé. Je n'ai pas encore pris l'habitude de la voir, et l'émerveillement est toujours neuf. Bien que j'aie gravé des millions de fois son image en moi, je découvre encore en elle des aspects qui m'avaient échappé jusqu'alors.

Penchée sur les pages, elle réagit aux péripéties de l'histoire par une série de mimiques à peine perceptibles. Ses yeux s'écarquillent d'étonnement ou se plissent pour franchir un passage difficile, ses sourcils se froncent et une barre verticale apparaît entre eux; aussi soudainement qu'il s'est crispé, son visage se décontracte, puis un sourire dévoile les dents. Parfois, elle ferme les yeux durant quelques secondes afin de mieux goûter la sensualité de mes caresses. Toutes ses émotions se lisent sur ses traits, et aucun texte ne pourrait être plus passionnant à déchiffrer.

Nous voici dans une chambre du Park Plazza Hotel. Un lit *king size*, car j'ai demandé que nous couchions ensemble. Un caprice; j'y ai bien droit, après tout c'est mon cadeau d'anniversaire que cette lune de miel! Nous nous installons. J'essaie de rendre discrets les signes de ma présence: pas de vêtements qui traînent, pas d'objets sur les tables et les commodes; je tente même de n'avoir pas d'odeur. Que maman occupe tout l'espace, que ça devienne sa chambre, afin que je me sente chez elle, un peu *en* elle. Ses produits de beauté dans la salle de bains, sa trousse de maquillage sur un meuble, son sac sur un autre, ses souliers à côté du lit, son imperméable sur le dossier d'une chaise.

J'ai le sentiment de vivre les heures les plus belles de ma vie; ainsi que dans mon rêve d'île déserte, nous isole un environnement étranger. J'ai le cœur en joie, l'esprit en folie, et mon bonheur est contagieux: heureuse, maman déclare que nous nous fabriquons un beau souvenir pour plus tard. Souvenir? Je n'en ai que faire! Je me délecte de ces moments avec autant d'avidité et d'attention que si j'avais la certitude de mourir demain. Et dans la qualité de ces heures, je vois un présage plutôt qu'une future mémoire, l'image de ce que pourrait être notre existence si nous décidions d'abolir le reste du monde, si rien ne contrariait cette force qui nous propulse l'une vers l'autre, avec tant de violence qu'après le choc de la rencontre nous resterions soudées ainsi que deux aimants. En vérité, moi seule subit cette attirance, m'y soumets; maman n'y est pas sensible.

Elle m'aime comme une mère aime sa fille, rien de plus. Je m'en contente pour l'instant, mais je ferai en sorte que cela change. S'agit seulement d'empêcher que, dans les prochaines années, quelqu'un remplisse le vide qui subsiste en elle, vide que je suis trop petite aujourd'hui pour combler. Qu'un peu de temps encore me soit départi! alors, arrivera pour elle l'âge où me perdre serait perdre jusqu'au goût de vivre, où mon départ serait ressenti comme un abandon auquel on ne survit pas; je n'aurai qu'à la cueillir, affamée de mon amour.

En prenant mon bain, je la regarde qui se démaquille. Ses seins, je les vois à la fois de profil et, dans la glace, de face. Je déclare que ce sont les plus beaux nichons du monde, ce qui est vrai. Elle répond qu'un jour j'en aurai d'aussi beaux, ce dont je doute et me moque bien. Qu'elle me prête les siens me suffirait... Des mamelles, moi? Oui, mais seulement pour les lui offrir en guise de jouets, uniquement si elles alimentent son désir de moi. Autrement...

Pendant qu'elle met sa crème de nuit, je cours me jeter sur le lit. Nue, bras en croix, jambes écarquillées. Et je ferme les yeux pour imaginer qu'en revenant dans la chambre, maman se penche sur mon corps, le couvre de baisers. Le bruit de ses mules. Silence. J'entrouvre les paupières, juste ce qu'il faut pour la distinguer à travers les barreaux des cils, pas assez pour qu'elle s'en aperçoive. Au pied du lit, enveloppée de sa robe de chambre, elle m'observe, un peu étonnée.

Je voudrais lui dire: «Vois comme je suis ouverte pour t'accueillir. Prends-moi! Prends-moi! Je suis à toi, ta chose. Scelle tes lèvres aux miennes, emmêlons nos bras et nos jambes, basculons ensemble dans l'infini du plaisir. Ou abandonne-toi dans cette passivité dont je te donne l'exemple. Je te ferai l'amour. Ton cri sortira de ma poitrine, le mien de ta gorge.» Mais je reste muette, disponible, donnée, et elle n'entend pas le discours de mon corps. «En voilà des façons de se tenir!» dit-elle, d'un ton faussement réprobateur. Je rétorque que ça n'a pas d'importance puisque nous sommes entre femmes. Elle s'esclaffe: «Une femme! Entendez-vous ça!»

En riant aux éclats, elle se jette sur moi. Nous nous tiraillons, chacune essayant de faire crier l'autre par des chatouilles. Nous nous amusons ainsi que des enfants, avec exclamations et fous rires. Je la retrouve primesautière et insouciante, telle qu'on la devine sur ses photographies d'adolescente. Ce soir, c'est moi qui porte la chose d'adulte, désir ou inquiétude. Ça se ressemble tellement!

Nous n'avons pas sommeil et regardons la télévision. Maman en profite pour vernir ses ongles. Je propose d'être sa pédicure et elle accepte. Je m'installe à ses pieds, taille et lime ses ongles avant d'y étaler une laque d'un rouge très vif. Je trouve l'effet tellement érotique! En attendant que la première couche sèche avant d'en appliquer une deuxième, je frotte la plante de ses pieds, d'abord avec les doigts, puis de la langue. Elle s'étire ainsi qu'une chatte, et je m'étonne de ne pas l'entendre ronronner. Ses genoux sont repliés, et par l'interstice entre ses jambes, j'entrevois ses grandes lèvres jointes en une moue boudeuse. Oh! comme je voudrais les dérider!

Quarante-huit heures d'instants plus sublimes les uns que les autres. Des repas en tête-à-tête, la piscine et le sauna déserts, les promenades main dans la main, le magasinage, la visite au musée des Sciences. Et surtout, deux nuits à me blottir contre son corps brûlant. Complicité, intimité. Le retour en train où j'ai fait semblant de dormir, recroquevillée, la tête sur ses cuisses. Mon cœur battait à tout rompre car j'essayais de capter à travers les vêtements l'odeur de son sexe si près de mon visage. Imagination? J'y parvenais! Ce parfum à la fois musqué et douceâtre, sucré on dirait, avec un léger accent de fruit acidulé...

Sale printemps! Le parc reverdit mais je n'ai plus envie d'y voler. La buse est mortellement blessée. Sale vie! Même pas deux mois depuis Toronto et j'ai besoin de retourner à cette période de bonheur. La découper en fragments: souvenirs! De pauvres souvenirs, voilà à quoi j'en suis réduite! Et je comprends: c'est quand l'on n'est plus maître des événements, que l'on se tourne vers l'hier ou le demain. L'avenir bouché tel un ciel d'orage, je n'aurais que le passé comme refuge? Je ne peux m'y résoudre, me cramponne au présent avec obstination, en dépit des blessures qu'il m'inflige. Pas question de démissionner, d'accepter la défaite. Pas avant d'être réduite en charpie.

Juste après le paradis, l'enfer. Et je me demande encore si le premier n'a pas existé parce que le second était déjà en gestation. Dorer la pilule, qu'on dit, parce qu'autrefois on enrobait certains médicaments d'une feuille d'or qui dissimulait leur goût désagréable. Ça n'arrange pas mon affaire, la pilule reste amère. Du poison. Maman m'aurait fait cette fête, ce voyage d'amoureuses, pour que je tolère mieux ce qui viendrait ensuite? Je ne peux la croire capable d'un tel machiavélisme. J'essaie de me convaincre qu'il s'agit uniquement d'un hasard, *qu'avant Toronto, elle ne me trompait pas dans mon dos*.

En apparence, l'histoire a débuté comme toutes les

autres. Daniel. Un copain, puis un ami. Cinéma, théâtre. Vient souper à la maison. La fois d'après, reste à coucher. Et je les entends baiser. Jusque-là, rien que de très coutumier... À moins qu'une histoire secrète n'ait existé entre eux avant qu'il apparaisse dans mon paysage! Ils se seraient donné le mot pour me jouer cette comédie de la naissance d'une idylle? Auquel cas, je me suis fait avoir de belle façon. Je n'ai rien tenté contre lui. Je baignais encore dans le bonheur des festivités de mon anniversaire, ils ne se voyaient pas trop souvent, et maman ne rencontrait personne d'autre.

Je croyais pouvoir sans risque donner du mou à la corde. Cette relation la rendrait heureuse, détendue et, d'une certaine manière, plus attentive à moi. Comment aurais-je pu me douter que c'était en raison de la culpabilité qu'elle ressentait à mon égard! Elle semblait en paix avec elle-même, alors qu'auparavant la possédait une sorte de fébrilité, conséquence de sa quête incessante d'un compagnon. Sotte que je fus! Je ne réalisai pas qu'elle ne cherchait plus l'âme sœur *parce qu'elle l'avait trouvée...*

Quand il est là, maman s'occupe certes encore de moi, mais plus de la même façon. Avec légèreté. Comme si elle se déchargeait sur lui d'une part de ses obligations envers moi et, même, lui déléguait un peu du soin de m'aimer. Elle n'agirait pas autrement si elle souhaitait *me l'imposer*! Elle ne pense qu'à lui, ne respire que pour lui; quand il s'absente, elle entre en léthargie et ne ressuscite qu'à son retour. Je connais ça, c'est ainsi que je suis par rapport à elle! C'est simple, elle est amoureuse. Outrancièrement amoureuse. Sa vie, dorénavant, c'est lui; moi, je deviens une contrainte, un embarras dont il faut bien s'accommoder.

C'est un samedi que j'ai saisi l'ampleur de ce qui se tramait. Il est allé faire les courses avec elle. Ça m'a frappée. Ensuite, j'ai remarqué qu'il participait volontiers aux tâches domestiques, s'intégrait à notre quotidien. Il est à l'aise chez nous. Les autres, on les savait toujours en visite, c'est-à-dire qu'ils n'occupaient que le volume de leur carcasse, et ce, temporairement. Lui, il prend beaucoup de place, et quand il part, un trou dans l'espace reste béant. Que j'ai regretté de ne pas l'avoir chassé dès le début, comme les autres!

Je n'ai donc pas été surprise que maman sollicite mon opinion sur Daniel. En n'ayant pas l'air d'y toucher! «Il est gentil.» Réponse sans enthousiasme. Je n'ai pas menti, c'est vrai qu'il l'est, cependant j'ai tu mes sentiments réels (qui vont jusqu'à la haine!), de peur qu'elle me prenne en grippe. Un instant, j'ai cru que, dans le même souffle, elle allait m'annoncer qu'il s'installait avec nous. Non, ce n'était pas pour cette fois. Mais ça viendra, et vite, je le sens.

Oui, il est correct ce type. Il ne tente pas comme les autres de faire ma conquête pour mieux piéger ma mère, il n'est pas comme certains gêné avec moi, il ne me fait pas sentir que mon existence l'embête, pas plus qu'il ne me traite en bébé. Il me laisse vivre. C'est ça le pire, rien de détestable en lui! Impossible de me leurrer sur mon attitude; je n'ai qu'une seule raison de le haïr: il me vole maman. Et je le hais, comme je n'ai jamais haï personne, pas même celui que j'ai envoyé en prison.

Mes tentatives pour le séduire n'ont pas donné l'effet attendu. Ma nudité ne l'a aucunement troublé. Jamais il lui viendrait à l'esprit de voir en moi un objet sexuel. Il me considère plutôt comme sa fille et n'a donc pas peur de lui-même, de ses réactions. Quand il s'est rendu compte de mes agissements, il m'a demandé à quel jeu je jouais, en me regardant droit dans les yeux, sans sourciller, sans craindre la bête de proie que j'étais redevenue. En vain ai-je tenté de lui chavirer l'âme. Vitre blindée de son regard limpide. Au contraire, c'est lui qui lisait en moi, devinait où je voulais en venir. Et lorsque ses yeux m'ont relâchée, son sourire amical et apitoyé me disait: «Pauvre petite...» Et aussi: «Ne perds pas ton temps, ça ne prend pas avec moi ces trucs-là.»

À la suite de ça, j'ai beaucoup pleuré et, en désespoir de cause, j'ai risqué le tout pour le tout. Il est fort, oui, mais personne n'est invulnérable. Une fois le désir allumé, plus rien ne compte, la volonté flanche, les résolutions tombent. Il en a toujours été ainsi, et ce type n'est pas un surhomme, que je sache! Alors, une nuit je suis allée dans *leur* chambre. Ce soir-là, ils n'avaient pas forniqué, ce qui faciliterait ma tâche.

Ils dormaient. Je me suis glissée entre les draps et j'ai fait cette chose tellement dégoûtante... *Schlouc! Schlouc! Schlouc!* Le vol d'ailes feutrées: mes lèvres sur son membre. Qui veut la fin... J'ai sucé Daniel très doucement afin de ne pas troubler son sommeil. Le sexe a durci et grossi, grossi à tel point que ma bouche ne pouvait contenir que le gland. Beurk! Ce goût... cette odeur... cette texture caoutchouteuse... Ma répulsion atteignait un sommet à l'idée du sperme qui allait tantôt jaillir! Il geignait tout bas.

Quand le plaisir deviendrait très intense, ce serait le réveil. Quelle tête il ferait! Étonnement. Indécision. Impuissance. Ah! Il la perdrait son allure d'homme sage et confiant en lui-même, sûr de ses principes et de sa moralité! Ils se ressemblent tous à l'approche de l'orgasme: la mine d'un petit garçon qui a surpris le Père Noël sortant de la cheminée et craint que le bonhomme ne lui laisse pas de cadeaux à cause de son indiscrétion. Et quelques secondes plus tard, ils se transforment en violeurs; ils seraient prêts à tout, inceste, bestialité, meurtre, même accepter leur propre mort, afin de jouir.

Des brutes? Oui, et des plus dangereuses, c'est-à-dire pusillanimes. Ils ont beau serrer les mâchoires, râler d'une voix rauque et blasphémer (histoire de paraître plus mâle, de se rassurer sur leur virilité), et vous étreindre très fort (pour l'illusion qu'ils contrôlent la situation), leurs yeux luisent d'inquiétude: angoisse ne pas y arriver, terreur que leur érection les abandonne, obsession de déchoir devant le regard féminin.

Lorsqu'on les branle, les hommes ont toujours un air de chien battu tant ils redoutent qu'on cesse de s'occuper de leur pauvre machin. Ce Daniel, quelle sera son attitude? Après la surprise, la pensée que c'est mal? l'intention de stopper mes caresses? Rien qu'un éclair de lucidité; l'envie de jouir submergera son esprit. Culpabilité et remords, il les assumera instantanément; en fait, il remettra la confrontation à plus tard pour se laisser sombrer dans le plaisir. Je redeviendrai la buse. *Schlouc... Schlouc... Schlouc...*

Le pénis frémit. Ah non! Je ne veux pas qu'il jouisse en dormant ou ne se réveille qu'à ce moment précis! Il faut que ce soit un peu avant, qu'il connaisse une seconde d'hésitation, qu'ensuite il consente. Mieux, qu'il demande. «Continue, ma petite chérie.» Ou qu'il reste muet, mais d'un coup de reins pousse sa queue au fond de ma gorge. Alors, je le dominerai et je serai en mesure de le mettre à la porte. À moins... à moins que maman l'aime tellement qu'elle soit prête à tout pour le conserver, même lui prêter sa fille prénubile afin qu'il satisfasse ses pulsions les plus viles.

Cette façade d'homme équilibré masque peut-être un jouisseur amoral! Il nous voudrait toutes les deux dans son lit, la mère et la fille. Il nous prendrait à tour de rôle, en présence de l'autre, ou nous forcerait à faire l'amour ensemble, maman et moi, et se branlerait en nous observant. Les lesbiennes, ça excite les hommes. Je consentirais... N'importe quoi pour ne pas perdre maman: laisser un homme s'immiscer entre nous deux, me résoudre à devoir l'aimer à travers le corps d'un mâle. Tout, même l'abjection et l'ignominie, pour ne pas être éloignée sans retour de la chair de mon adorée. Je ne pourrais tolérer qu'il la garde pour lui seul, que le lit de maman devienne *leur* lit auquel je n'aurais plus jamais accès.

Schlouc! Schlouc! Schlouc! L'éjaculation approche. Qu'il se réveille maintenant! Je presse les testicules jusqu'à les écraser l'un contre l'autre. Soudain, une main agrippe mes cheveux et tire ma tête vers le haut. Je ne peux que suivre, le gland m'échappe. J'ouvre grand la bouche mais ne crie pas malgré la douleur. Il me gifle. Aucun pleur. À bout de bras, il me tient suspendue par la chevelure, de même manière qu'un bourreau brandit une tête juste coupée. J'ai peur que la peau décolle de mon crâne ou que mes cheveux s'arrachent par touffes. Pas une plainte cependant. Une réaction plus vive que ce à quoi je m'attendais, mais tout n'est pas perdu. Chaque instant qui passe joue en ma faveur. Il a beau être une tête de mule, son corps a une volonté propre. Animale.

J'empoigne son sexe toujours érigé. Il secoue ma tête et ordonne: «Lâche ça! Lâche ça!» D'une voix forte, sans se préoccuper du sommeil de maman. Je ne cède pas et branle sa queue très vite. Alors, il me gifle à nouveau. Qu'il me scalpe, me frappe à coups de poings ou m'étrangle, qu'importe! je ne desserrerai pas ma prise avant qu'il n'éjacule. Mais! mais... sa queue ramollit, rapetisse, se rétracte, fuit! C'est impossible... Comment fait-il pour contrôler ainsi son organisme, mater la chair qui réclamait la jouissance? Je m'entête à le manipuler plus fort. Peine perdue.

«Lâche-moi! Lâche-moi ou je le dis à ta mère.» Et de sa main libre, il secoue maman. Le salopard! C'est qu'il le ferait! Je m'effraie, libère son membre, le supplie de ne pas en parler, promets de ne plus recommencer. Le salaud! Le salaud! Il a trouvé mon point faible. En toute connaissance de cause, il rompt les ailes de la buse, lui coupe le bec, lui rogne les serres. Et, quand je ne suis plus qu'une petite fille sans pouvoir, il me renvoie à ma chambre. Comme l'ange chassa Adam et Ève du paradis terrestre. Ici, c'est plutôt l'ange qui est expulsé, les deux autres préservant jalousement leur secret, refusant de partager le fruit dérobé dans l'arbre interdit.

Pas dormi de la nuit, écrasée que j'étais par le désespoir. Je perds maman à un homme, je perds tout, et songe à en finir avec une existence qui ne sera jamais qu'un naufrage dans un malheur toujours plus profond. Déchirements dont le vacarme me donne la chair de poule, dont la douleur me tord les boyaux, comme si, dans la chambre voisine, Daniel était occupé à trancher les liens invisibles qui nous unissaient maman et moi. Un avorteur! Et les amarres coupées, je tombe en chute libre dans le néant. Délire.

Le matin me trouve hagarde, les traits tirés, les yeux rougis. Maman s'inquiète. Je simule une maladie; le ventre, la tête, la gorge aussi. Elle se demande si elle ne devrait pas me conduire chez le médecin, et lui, le Daniel, dit à ma mère d'aller travailler l'esprit en paix; en congé ce jour-là, il va s'occuper de moi. Il lui souffle à l'oreille: «Une excellente occasion de lui apprendre qu'elle peut compter sur moi.» L'écœurant! Et maman est dupe! Après m'avoir bordée et embrassée, elle s'en va en compagnie de *son homme*. Que la distance est grande maintenant entre nous, infranchissable déjà, qui ne fera que s'accroître. Un fossé d'amour, celui d'un tiers.

Le parfum de maman n'a pas encore fini de se dissiper, que Daniel revient s'asseoir au bord de mon lit. Il veut prendre ma main que je cache sous les couvertures. Il me regarde avec des yeux où il met de la bonté. Je le déteste! Je déteste sa douceur: «Tu n'as pas besoin d'un médecin, n'est-ce pas? Pourtant tu souffres. Mais ce n'est pas physique, malgré l'impression que tu peux avoir de porter en toi un trou immense, un vide qui t'attire; ou au contraire, d'abriter une énorme masse compacte qui risque à tout moment d'exploser en te brisant en morceaux. J'ai une amie qui pourrait t'aider. Elle ne ferait qu'écouter, sans juger; et toi, parler. Tu aimes les mots. Eh bien, sache que la parole est le plus puissant remède qui existe.»

Ce ton, cette *aménité*! L'hypocrite tente de me faire oublier qu'il enlève ma mère, prétend vouloir mon bien alors qu'il m'extirpe le cœur et les entrailles. Je crie: «Je n'ai pas besoin de remède! De quoi tu te mêles? Tu n'es pas mon père!» Il me fixe un long moment et dit avec gravité, d'un air entendu: «Justement, je ne suis pas ton père...» Il sait! J'ignore comment c'est possible, mais il *sait*! Il devine mon père innocent! Il a compris mon jeu, il voit la buse en moi, comme si ma peau était transparente. Au bout d'un moment, je ne peux plus soutenir la confrontation, m'effondre et enfouis mon visage dans l'oreiller.

Même pas de pitié dans sa voix! Cela m'aurait fait le haïr encore plus et, du même coup, permis d'imaginer que je me trompe, qu'il n'a pas le don de voyance, que tout simplement il me croit traumatisée par le viol commis par mon père. Mais non! il ne se fourvoie pas, ne me considère surtout pas victime. Ni compassion ni attendrissement; il parle avec sa froide raison à une intelligence qu'il sait vive et lucide.

«Ta mère restera ta mère, même si elle devient ma femme. En effet, nous avons décidé de vivre ensemble, elle et moi, de refaire une famille à trois. Non, pas une famille, un couple et un enfant. Je n'ai pas l'intention de remplacer ton père, ni non plus de te forcer à l'amitié. Mais il va falloir qu'on définisse nos territoires respectifs, toi et moi, qu'on trouve une façon de cohabiter dans le respect mutuel. Notre vie commune peut être très agréable et enrichissante... ou le contraire. C'est à toi d'en décider. Aussi bien en prendre ton parti tout de suite: je ne te permettrai pas de gâcher mon bonheur... ni celui de ta mère.»

Il me tapote l'épaule, me conseille de bien réfléchir à tout cela et repart. Aucun discours moralisateur, aucune parole de sympathie. Si ce n'était du contexte, je pourrais l'admirer; il m'épouvante! Sa force est encore plus grande que je ne croyais, et cette constatation intensifie mon malheur. Certitude de ma défaite.

Deux semaines que ça dure. On dirait un siècle. Je n'ai plus goût à rien, pas même aux livres. Je dors, mange, fréquente l'école, fais mes devoirs, me lave, parle; seulement par habitude, sans en avoir conscience. C'est un robot qu'on voit agir, et personne ne se doute que j'ai déserté ce vieux corps de onze ans. À l'école, on me trouve simplement plus docile, assagie. Maman et Daniel pensent que je me suis résignée et discutent ouvertement de leur mariage prochain.

Au dehors, le stoïcisme le plus parfait. Mais en dedans, hurle sans arrêt un grand oiseau qui n'en finit plus d'agoniser. Un rapace cloué au sol, en proie au vertige sur le bord du gouffre qui me creuse. Celui-là même dont Daniel avait eu la prémonition. Vide. Chute imminente. Alors, la mécanique qui donne aux autres l'illusion de mon existence se détraquera, et on découvrira que j'étais morte depuis un long moment déjà.

J'avais capitulé trop vite! La buse n'était que blessée. L'été la trouve guérie. Assise sur mon lit, dans la noirceur, je l'écoute qui déploie ses ailes. Réchauffer les muscles engourdis par une longue convalescence. Assouplir les ligaments noués par ma résignation. *Pfou! Pfou! Pfou!* Bruit cotonneux dans mon crâne, régulier comme le battement d'un cœur. Tantôt, l'oiseau va prendre son envol, à nouveau fendre l'air. Fondre sur le mulot. Ficher ses serres dans un corps palpitant. Ses ailes auront retrouvé leur claquement de fouet.

Schlak! Schlak! Schlak! Le sang remplit ma tête, la gonfle à craquer. Voilà que je deviens nyctalope. Dans la maison endormie, un ronflement de plumes alaires. Il se déplace avec célérité. Soudain, un cri affreux, le sien. Un rire triomphant en écho, le mien. Lumières! Un hurlement interminable: ma mère dont plus rien ne me sépare. Dans ma main, le long couteau de boucher.

Daniel avait raison, un remède existait. Un mot. C'est le dictionnaire qui me l'a donné. *Émasculer...*

L'Araignée

Foudroyé, l'arbre tutélaire! Et, débarrassée de l'ombrage qui l'étouffait, de la compétition des racines qui la nanifiait en bonsaï, la plante rabougrie de l'amour maternel et filial pourra croître et révéler sa nature véritable: un pin d'imposante stature.

Tantôt, nous étions côte à côte pour recevoir les condoléances. De la même taille. Un couple. Cela devait se sentir, car mon grand-père m'a serré la main: «Il faut être fort. Dorénavant, c'est toi l'homme de la maison.» Je le savais déjà, mais c'est bon de l'entendre reconnaître. Et c'est à mon bras qu'elle quitte le cimetière, du pas majestueux qu'adoptent les nouveaux époux au sortir de l'église. Elle pleure en silence, et je me dis que c'est d'émotion à l'idée de la vie nouvelle qui débute pour nous, sans doute aussi pour dissimuler au monde son bonheur. Je souffle à son oreille «je suis là», et sa main se crispe sur mon bras. Elle s'appuie sur moi, lourde de résignation, et je la déleste d'un peu du poids de sa vie. Je suis là, petite mère, tout entier offert à ton amour, tourné vers toi, sans plus d'yeux pour les autres femmes.

Le gravier crisse sous ses escarpins neufs. Souliers de veuve. Noirs. *Veuve noire*. Je songe à cette *Latrodectus mactans*, araignée d'une venimosité extrême, dont le nom rappelle l'habitude qu'a la femelle de dévorer le mâle après l'accouplement. J'accepterais volontiers de finir dans le ventre de mère, pourvu que la noce précède le repas anthropophage. Aucun danger... Je ne redoute pas les araignées, au contraire, les aime et comprends leur férocité, et elles me reconnaissent des leurs. Ainsi, *Dugesiella*, ma tarentule américaine, grimpe sur ma main dès que je la lui présente, et elle se couche dans ma paume. Pattes et corps noirs, très velus. Ma pensée dérape jusqu'à l'image de la toison de jais accrochée sous le ventre maternel. Une touffe arrondie et bombée sur une peau autrement glabre, une araignée recroquevillée.

Dans la voiture. Sa jupe remonte un peu sur ses

cuisses. Divines jambes dont le nylon anthracite souligne les courbes harmonieuses. Dès que la portière se referme sur nous, j'attire la tête de mère sur mon épaule et en caresse la nuque avec douceur. Toucher presque imperceptible pour elle; pour moi, caresse insistante qui fait battre mon cœur à tout rompre. Elle s'abandonne à ma force, attitude qui lui deviendra coutumière à mesure que s'installera l'oubli.

Oui, elle *l'*oubliera, oubliera qu'elle voulût mourir de chagrin, oubliera qu'elle crût aimer un autre homme que son fils. Alors, elle retrouvera ces gestes qu'elle avait sur mon corps d'enfant, cette spontanéité dans l'expression de l'amour qu'elle se permettait avant que l'*autre* ne voie en moi un rival dangereux. Il avait raison de me craindre: je l'ai enseveli et récupère la femme qu'il m'avait volée. J'aurais envie de dire à Nathalie: «Si tu perds un époux, tu gagnes un amant.»

Tant qu'il était encore là, même à l'état de cadavre embaumé, elle avait réussi à sauver les apparences, à conserver sa dignité devant tous ces regards dont elle était le point de mire, regards où la compassion n'allait pas sans un certain voyeurisme. En rentrant à la maison, mère craque. Sanglots qui lui coupent la respiration, hoquets qui la cassent en deux. Je dois la soutenir jusqu'à sa chambre; en effleurant le chambranle, elle me glisse des mains et s'effondre. *Leur* chambre! Elle gît par terre. Je dois l'éloigner de cette pièce où *il* dormait avec elle, où *il* la prenait, où *il* est mort à côté d'elle. La chambre d'amis? *Il* allait s'y allonger lors de ses nuits d'insomnie, et sa présence doit s'y faire encore sentir. Un seul lieu où elle sera en sécurité, dans un univers dont l'accès est interdit à son ancien mari: ma chambre.

La force de soulever cette femme dont le poids égale sensiblement le mien? de l'emporter? Puissance de l'amour. Occasion de lui faire entendre par le corps le rôle de tuteur que j'assume désormais auprès d'elle. Enlèvement. Je la soustrais au mari, ainsi qu'un amoureux emporte sa belle loin d'un père autoritaire qui contrariait leurs amours. Le seuil de ma porte. J'imagine qu'elle est revêtue d'une robe blanche à traîne, d'un voile retenu par une couronne de fleurs d'oranger. Non. Voilette et soie noire. Noces de deuil, les plus belles; épousailles par la mort, les plus durables. Dans leurs cages de verre, mes araignées s'agitent et saluent notre entrée d'inaudibles hourras.

Là... sur mon lit. Elle renifle. Avec une serviette humide je rafraîchis son front, la débarbouille et la mouche comme on le fait pour un enfant. Doux visage dévasté par le chagrin. Nous nous étreignons, chacun bouleversé par la souffrance de l'autre autant que par la sienne propre. Tantôt, c'est moi qui presse son visage dans mon cou et lui tapote l'épaule, tantôt, elle qui berce ma tête sur sa poitrine. Elle se méprend sur la cause de ma peine. Je ne déplore pas la perte d'un père, je communie simplement à son émotion à elle.

Tête à tête muet sur l'oreiller. Nous sommes couchés en vis-à-vis, nos mains jointes, nos corps se frôlant. Elle me considère avec intensité, avoue tout bas sa peur de vivre, me supplie de ne pas la quitter. Yeux hagards, doigts qui s'enfoncent dans la rondeur de mon épaule. Je murmure «je suis là, je t'aime», et telle une femme ivre, Nathalie m'embrasse longuement sur la bouche en recommençant à verser des larmes. Lèvres salées, haleine de miel. Je recule mon bassin afin qu'elle ne s'aperçoive pas que je bande.

Somnifères. La dose maximale prescrite par le médecin. J'empoche le flacon: crainte d'un geste inconsidéré qui me l'enlèverait à jamais. Je retire ses chaussures, elle se laisse faire. Regards hébétés alors que je la dévêts. Me fixe sans me voir. Ou distingue un autre à travers moi? Mirage. Un jour prochain, sa vue butera sur moi devenu opaque tel un cumulus qui barre l'horizon et en masque le vide. Pour l'instant, je semble diaphane à ses yeux. Mais peut-elle ignorer la fébrilité de mes mains?

Sous la robe, une combinaison d'un noir lustré. Pas de soutien-gorge. J'ôte le collant. Les cuisses brûlent mes paumes. Culotte; j'hésite, la lui laisse. Ayant usé ces jours derniers ses réserves nerveuses, mère appelle le sommeil, et le médicament gagne en efficacité. «Ne me laisse pas», balbutie-t-elle en sombrant dans l'inconscience. Je m'allonge près d'elle, l'entoure d'un bras dont la main s'étale sur son front. Elle dort, et je la veille, l'apaisant d'une caresse dans les cheveux quand des cauchemars la font tressaillir. Peu à peu, le calme vient à la chair stigmatisée par les tourments de l'esprit. On dirait Nathalie dans une profonde léthargie. Belle au Bois dormant que le prince n'éveillera pas avant longtemps.

Du bout du nez, je la flaire. Parfum commercial dans le cou, délicate fragrance des aisselles, odeur de lait de la poitrine, effluves de vie du ventre. Je palpe avec délicatesse sa chair par-dessus le vêtement. Les seins, longtemps les seins, la taille, le ventre, la hanche. J'ai mal de désir, mal au désir. Ses genoux. Ses cuisses. La culotte soyeuse laisse deviner la toison crêpelue. Deux doigts se glissent sous la barrière de l'élastique. Poils rêches. Lèvres rebondies, accolées l'une à l'autre. Un peu insister à l'entrée. Une phalange s'insinue, juste ce qu'il faut pour détecter l'humidité de son intérieur. Je retire ma main avec précaution. Doigts sous mon nez. Jamais plus je n'oublierai l'odeur de son sexe; mes narines la recréeront dès que je m'approcherai à quelques pas de cette femme. Doigts dans ma bouche. Goût de l'origine que je n'aurai de cesse de retrouver sur ma langue. Doigts sur mon gland. Acharner mon sexe ainsi qu'on le fait avec les chiens de chasse.

Assez! Je saute hors du lit, pose une couverture sur ma promise. Dors, Nathalie, dors en paix dans la couche de celui que tu crois encore uniquement ton fils. Tu le découvriras bientôt homme, fou d'un amour depuis treize ans contenu, refoulé, dénaturé, dévoyé. À ton insu, je me dénude, aussi nu qu'au sortir de ton corps, nu pour y retourner. Je me dénude afin que mon pénis te contemple à loisir, bande en apprenant à te reconnaître. Avec lui, je trace un cercle magique alentour de ton corps. Une piste odorante. Et je frotte mon gland aux quatre coins du lit, comme un animal délimite son territoire.

Étendue sur le dos, écartelée. Ainsi étais-tu pendant qu'on m'arrachait à ton ventre; tu adopteras la même position pour que j'y rentre. Femme bénie entre toutes les femmes, nuit de mes yeux, musique de mon cœur, nous referons l'accord perdu, retrouverons le point de fusion dans le creuset de tes hanches, réaliserons le grand œuvre dans la ténèbre de tes entrailles. Et je m'épancherai en toi, ruisseau à rebours vers la source. Dors, petite mère. Dors pendant que ton corps s'imbibe de la mâle chaleur par moi laissée dans les draps.

Je vais occuper leur chambre afin de tenir en échec le fantôme paternel. En plein milieu du lit, je chevauche la frontière invisible entre leurs places respectives, débordant un peu sur chacune, couché sans doute à l'endroit précis où ils se rencontraient pour baiser.

Sur la commode, deux photographies dans des cadres d'argent. Mère et son mari. *Lui!* Lui qui me dévisage avec son sourire figé de vendeur d'assurances! Confrontation que je soutiens sans broncher. Son visage, ses yeux, ses sourcils, sa bouche, son menton, ses oreilles: toutes choses dont je vais me hâter d'oublier l'apparence. J'ai longtemps cru le détester. Erreur, je l'enviais! La haine eût été un luxe car il ne comptait pas pour moi. Pourvoyeur. Ni plus ni moins qu'un vieux domestique ou l'intendant de la maison. Le métayer qui cultivait mère; lui chassé, je rentre en possession de mes terres.

Il a bien fait des efforts pour établir une relation

père-fils, mais de mon côté je m'appliquais à détester tout ce qu'il aimait. Jamais je ne lui accordai le plaisir de jouer à la balle avec moi ou de m'emmener à la pêche. Ingénieur féru de sciences exactes, réfractaire à toute pensée intuitive, il n'entendait rien aux subtilités de l'esthétique; par réaction, je développai à l'extrême mes dons artistiques. Ma passion pour l'entomologie naquit de sa phobie maladive des «bibittes». À mesure que je vieillissais, nous avions de moins en moins en commun et en sommes venus à parler des langues différentes. Il se résigna à laisser le fossé se creuser entre nous. Mais il restait là, se posant en propriétaire: *ma* femme, *mon* fils.

En toisant celui qui se disait mon père, je me branle. Regarde, c'est moi à présent qui possède la queue. Il n'y a plus qu'un seul coq dans la basse-cour. Admire ce membre viril et vivant, toi qui n'es plus qu'impuissante charogne, et crèves-en une deuxième fois, de jalousie. Tous les orgasmes seront pour moi, c'est sous mon corps que le corps de la femme dansera de joie, dans mon oreille qu'elle gémira sa jouissance. Vois! vois, avant que ton regard ne s'efface à jamais, le sperme dont j'abreuverai le Vagin.

L'autre photographie, d'une extraordinaire beauté. Nathalie. Femme de grande culture, pianiste accomplie. Avec elle, je partageais l'amour de la musique, de la peinture, de la poésie. Son regard imprimé sur papier glacé me pénètre, m'atteint à tous mes âges. Mémoire d'un univers de caresses et de baisers, d'étreintes et d'enveloppements, bain perpétuel de douceur et de tendresse, de stimulations corporelles, jeu incessant de séduction, déferlement d'une violence passionnelle qui tôt éveilla mon désir, fouetta mes pulsions, m'affola d'amour. Toutes choses qui furent brutalement interrompues.

Peut-être mère prit-elle peur parce qu'en grandissant je ressemblais de plus en plus à un homme, de moins en moins à son bébé? Je doute qu'elle mît volontairement un terme à nos débordements affectifs; en aurait-elle été capable, elle qui m'aimait sans retenue aucune et m'avait enseigné à l'aimer de même façon? Je crois que son mari s'est interposé pour briser notre complicité amoureuse dont il prenait ombrage. C'est d'ailleurs ce que je compris à l'époque en dépit de mon jeune âge. Mère me prodiguait un amour d'une telle intensité qu'il m'avait forcé, pour être en mesure d'y répondre, à hyperdévelopper mon intelligence, tant intuitive que cognitive. Aussi, même si aucune parole ni aucun geste ne vinrent signifier la rupture, je devinai qu'il fallait refréner ma passion, circonvenir le juge-bourreau. Mère et moi avons dû nous comporter avec réserve et affecter une certaine froideur. Élans brisés à leur naissance, timidité, gêne parfois qui nous faisait nous regarder sans oser nous précipiter l'un sur l'autre. Cette détresse dont l'ombre voilait le regard maternel! Le mien aussi sans doute.

Nous en étions réduits à nous toucher par l'intermédiaire des tableaux, à nous enlacer à travers la musique. Sont toujours vivaces dans ma mémoire ces heures où nous nous aimions à distance, par le regard, par l'oreille, éprouvant un mélange inimitable de souffrance et de plénitude, et encore aujourd'hui, je ne peux écouter certains morceaux de Chopin, Liszt ou Mozart sans revivre ces mêmes émotions. Elle au piano, moi par terre, à ses pieds.

Comme elle a du *le* haïr! Au moins autant que moi qui rêvais de *le* tuer. Oh! elle a continué à me choyer, avec discrétion, s'est évertuée à me parler muettement d'amour, mais j'en voulais tellement plus; je ne pouvais me résoudre à moins que la totalité du don à laquelle elle m'avait habituée. Alors, pour éviter la vengeance du mari, pour ne pas crever du tarissement de l'affection maternelle, je me suis détournée d'elle, j'ai pointé vers les autres femmes mon désir. Le vieux avait réussi à évincer le prétendant au trône... croyait-il! *Le roi est mort, vive le roi!* À moi ses bottes et sa couronne.

Cette nuit-là, je ne dors pas, trop occupé à me remémorer les instants vécus avec mère, à retrouver le goût de notre ancienne tendresse. Et je modifie le passé, l'épure des souvenirs habités par le mari de Nathalie, efface la trace des interdits et des contraintes. Que ces treize années me paraissent aujourd'hui de longues fréquentations, d'une chasteté librement consentie, une cour sur le point d'aboutir. Et aux aurores, je ne suis plus orphelin depuis quatre jours, mais de tout temps. Né de père inconnu.

Les jours suivants sont difficiles pour Nathalie. Après une période de prostration où elle dépend de moi comme un nourrisson, elle essaie de reprendre le cours normal de sa vie. Normal? Que signifie ce mot? N'est-ce pas notre solitude à deux qui est dans l'ordre des choses? Mère est encore loin de partager mon opinion là-dessus, même seulement d'envisager la question sous cet angle. Elle n'a pas encore fini d'enterrer *l'autre*. Les habitudes ont la vie plus dure que les êtres humains. À tout moment, elle commence une phrase et s'arrête en plein milieu, se rappelant que l'interlocuteur n'est plus. Les heures qui correspondent à celles où le défunt partait ou rentrait ravivent son tourment. En vain je tente de m'interposer; elle le revoit partout dans la maison où mille détails témoignent encore de son passage. Finalement, je la décide à s'exiler quelque temps chez ses parents; je me débrouillerai bien tout seul.

En fait, je profite de son absence pour accomplir une tâche urgente. Tout ce qui a appartenu à l'ancien mari de Nathalie, je le descends au sous-sol. Je n'ose rien jeter, cela viendra dans une séconde étape. Chambre à coucher, salon, cuisine, boudoir, salle de bains, cabinet de travail: partout je sème l'oubli. Aucun détail n'est omis, ni le rasoir ni les produits d'hygiène corporelle dans la pharmacie, pas même le parapluie dans le vestibule. J'agence les meubles de la chambre à coucher de manière à faire disparaître sa table de chevet, sa lampe et sa commode; je dispose autrement les vêtements de mère pour qu'ils occupent tout l'espace des garde-robes. J'enlève du cadre d'argent la photo de l'*homme*, que je remplace par la mienne. Un de nous deux était ici de trop.

Mère revient vite, car le séjour dans la parenté se révèle un supplice, tout un chacun croyant bien faire en évoquant constamment la figure du défunt. Elle est estomaquée par les transformations que j'ai fait subir à la maison. «Qu'est-ce qui t'a pris?» Sans me départir de mon calme, je réponds que je la veux sereine et que j'ai agi en ce sens. Il faut nous organiser une existence nouvelle, le deuil ne doit pas s'effectuer aux dépens de la vie. Mon geste la chagrine, cependant je constate qu'il lui simplifie les choses, et trois jours plus tard elle admet que j'ai eu raison. «C'est en moi qu'il doit survivre, pas dans le quotidien», conclut-elle. J'approuve et ajoute: «Tu peux également le retrouver en moi; je suis sa chair tout autant que la tienne.» Elle m'embrasse sur les joues, ébouriffe mes cheveux. Elle ne sait pas ce qu'elle deviendrait sans moi. Et moi, que serais-je sans elle?

Les semaines passent, qui voient mère intérioriser sa douleur, essayer de donner le change sans y parvenir vraiment. L'amertume se lit sur son visage, on dirait un automate sans âme. Moi, je m'oblige à vivre à son rythme, m'oblige surtout à dissimuler l'incroyable bonheur qui est mien. Bonheur, il est vrai, quelque peu terni par la vue de l'affliction maternelle. Bientôt, j'étouffe dans cette maison devenue un cloître consacré au recueillement et au souvenir. Il faut briser la coquille dans laquelle mère s'est emmurée, l'extirper du cauchemar qu'elle entretient avec morbidité.

Non sans mal, je la persuade de partir pour l'été. Ce voyage en Europe dont elle parlait depuis trois ans, nous l'effectuerons ensemble. Elle se fait tirer l'oreille, précisément parce que ce voyage la tente; elle se culpabilise d'avance de l'agrément qu'elle y prendrait. Elle aurait scrupule de se payer du bon temps avec l'argent que son mari a gagné en se tuant à la tâche. J'argue que «papa» aurait souhaité qu'elle reprenne vite goût à la vie, lui qui était si bon (!) vivant, et je fais valoir l'aspect formateur pour moi d'un tel périple. Ces raisonnements soulagent la conscience de Nathalie qui se met à rêver quand j'énumère des villes-étapes, leurs monuments et leurs musées.

Faut dire que j'ai déjà commencé à planifier, acheté des guides touristiques, recueilli des informations sur les moyens de transport et le logement. Qu'elle accepte seulement, je me charge des réservations. De tout! Même de ce qu'il adviendra de la maison durant notre absence. Une agence de sécurité veillera au grain; la femme de ménage arrosera les plantes, son mari entretiendra la pelouse. Le plus difficile est de trouver quelqu'un pour nourrir mes araignées; en fin de compte, grand-père y consent, malgré la répulsion qu'il éprouve pour ces «bestioles du diable». Mais, je serais parti quand même, sacrifiant ma précieuse ménagerie d'arachnides venimeux (Lucrèce, ma favorite, une mygale; mes fileuses brunes, mes veuves noires, mes tarentules américaines, haïtiennes et brésiliennes, et mes scorpions) et de mille-pattes carnivores (notamment un merveilleux *Chilopoda* de 12 centimètres).

Nathalie ignore que nous entreprenons un voyage de noces. En Angleterre, sa tristesse demeure intacte, que je ne parviens à déjouer qu'en de rares occasions, lors d'une chevauchée dans Hyde Park ou d'un séjour à Bath. Quand mon entrain s'avère inefficace, je me transforme en petit garçon qui s'ennuie, et mère se force à l'enthousiasme, ne voulant pas m'obliger à partager sa morosité. Amsterdam: la mélancolie se dissipe. Le dépaysement opère un miracle, le passé s'éloigne. Quatre demi-journées au Risjkmuseum, et la magie de l'art achève d'effacer toute trace de l'ancienne vie. Nous voilà installés dans une bulle d'intemporalité qui se déplace avec nous. Bruxelles. Nous nous tenons par la taille pour arpenter la Grand-Place, légers, presque joyeux.

À Paris, je la convaincs d'abandonner le noir, chaud en cette saison, pour des couleurs pâles. Le port du deuil est une convention qui a perdu tout sens véritable. Son deuil, c'est bien suffisant qu'il lui habille l'âme. Ce dont elle convient. Et nous voilà qui explorons les magasins de la rue du faubourg Saint-Honoré. Je la conseille avec une sûreté de goût qui m'attire les compliments des vendeuses.

Quand les boutiques ferment leurs portes de midi à quatorze heures, nous allons déposer les cartons à l'hôtel. Devant le monceau de paquets, mère se sent fautive. Qu'elle se rassure: acheter est un excellent dérivatif, un remède qu'aurait pu lui prescrire son médecin. Et j'ajoute qu'il lui manque encore un maillot de bain, une robe du soir, des chaussures, des sacs, de la lingerie. Elle se récrie. Ce serait folie! Elle n'oserait plus dépenser un sou pour des vêtements. Dans ce cas, qu'elle me confie le porte-monnaie, c'est moi qui paierai.

J'ai pris la direction de l'affaire et, tout l'après-midi, c'est la chasse aux objets qui pourraient exciter sa convoitise. J'insiste quand elle hésite, prends sur moi d'acheter quand je constate qu'elle résisterait à son envie. Comme cela doit la changer de l'*autre*, lui qui ne voulait jamais mettre les pieds dans un magasin (pas le temps! futilités!), et maugréait chaque fois qu'elle s'achetait des vêtements. Non pas qu'il fût radin; il n'entendait rien à l'élégance, ne comprenait pas l'importance de la coquetterie.

Le soir, mère procède à l'essayage. Une grande ouverture d'esprit règne dans notre milieu, pas de vaine pruderie, et c'est donc sans y attacher d'importance que Nathalie se retrouve devant moi en culotte et soutien-gorge. Habillage dix fois suivi de déshabillage. Je dissimule assez bien le plaisir que je trouve à ce défilé de mode privé. «Avance, tourne, recule, tourne encore: splendide! Ça te va à ravir.» Mes remarques élogieuses la grisent et elle se pavane avec de plus en plus d'entrain. *Il* se montrait avare de compliments et, à ce niveau, elle était «en manque» depuis longtemps.

Pour le choix d'un bikini, elle s'est laissé influencer par mon avis combiné à ceux des employées et voilà qu'elle s'étonne de sa brièveté. C'est vrai qu'il dévoile à moitié sa poitrine et dénude très haut ses hanches. «Pourquoi pas? Tu as une taille de jeune fille, un corps de starlette.» Elle nie en riant, mais ne demande pas mieux qu'à me croire.

Le contenu du dernier carton fait lui aussi problème. Cette fois, je n'y suis pour rien! C'est elle qui, sous le coup de cette fringale qui s'empara d'elle dans les magasins, a cédé à la tentation de bas à couture et d'un ensemble de sous-vêtements arachnéens: porte-jarretelles, *string* et soutien-gorge. À présent, elle examine ces frivolités en chantilly avec perplexité.

— Qu'est-ce que je vais faire avec ça?

— Les porter, c'est très joli!

— Peut-être, mais ça ne se voit pas. D'habitude, c'est pour celui...

Elle se rembrunit, je me hâte de réagir:

— Ça sert d'abord à ton propre plaisir; après seulement, vient le regard de l'autre qui te fait te sentir encore plus séduisante. Je saurai, moi, ce que tu caches sous ta robe. Ça suffit, non? On se fait belle pour ceux qu'on aime.

Un instant de réflexion; regard indéfinissable. Se rendant à mes arguments, elle opine de la tête. Et soudain, toute réserve tombe, elle désire se voir dans ces atours. Sans hésiter, elle se dénude. Sidéré par cette vision, j'éprouve tout à la fois le bonheur de l'émerveillement et les affres de la privation. Me tourmente la pensée que cette scène, je ne l'aurai pas constamment devant les yeux jusqu'à ma mort. Même si elle avait la récurrence d'un crépuscule, elle serait toujours comme lui momentanée. Sentiment analogue à cause d'un tableau de Vermeer, à Amsterdam: j'aurais voulu vivre en sa présence tout ce qui me reste de jours sur terre.

Dans une chambre d'hôtel de Paris, ma mère nue devant moi! Cette nudité, de trop rares fois entrevue, admirée déjà à la sauvette, la voici aujourd'hui offerte sans réserve à ma convoitise. Mon cerveau s'affole, les battements de mon cœur se dérèglent, je cherche mon souffle. Inconsciente de mon état, Nathalie revêt ces dessous dont la coupe suggestive dément l'impression première du blanc virginal: les tétins saillent par les trous de la dentelle, les poils pubiens poussent à travers les fils immaculés. Elle attache les bas, enfile des sandales à hauts talons, et se montre d'une merveilleuse obscénité, vierge qui s'exhibe et se dérobe, jeune épousée qui s'avance craintive mais souriante vers la défloraison. Je rêve, je délire, je fabule; mère n'a pas d'arrière-pensées. Qu'une ingénuité un peu suspecte... Ce n'est pas moi qui m'en plaindrais!

Elle se détourne de moi, s'observe dans la glace, déambule, mains aux hanches, pivote pour se voir de profil. Pendant ce temps, j'allume la radio à la recherche d'une musique appropriée à la circonstance. Un air de tango. Quelques pas hésitants, Nathalie s'accorde au rythme. Puis elle se lance carrément dans la danse avec un invisible partenaire. Oubliés le lieu, l'heure, le monde; moi aussi sans doute. J'ignore où elle est, à quelle époque et au bras de qui elle évolue. La laissant à son rêve, j'admire son corps sous tous les angles, imprime en moi ces images sublimes. Cette grâce du geste! cette harmonie des formes!

Tantôt j'ai parlé d'une silhouette de jeune fille. C'est faux. Ses hanches ont la plénitude propre aux femmes qui ont atteint le zénith de l'épanouissement tout en évitant de s'empâter. Cuisses rondes mais musclées, fesses lourdes mais fermes, taille marquée, poitrine ayant acquis la mollesse sans pour autant s'affaisser, épaules dont la carrure garçonnière ne fait qu'exacerber la féminité de l'ensemble. Ces jeux d'ombre qui sculptent sa chair, cette lumière frisante qui fait ressortir le grain de sa peau: j'en pleurerais tant mon émotion est intense.

La voix d'un commentateur la ramène à la réalité. Elle se plante en face de moi:

— Comment me trouves-tu?

— Excitante...

Douche glacée! Ses yeux s'écarquillent, sa bouche s'ouvre sur un oh! qu'elle ne prononce pas, puis instinctivement elle couvre sa poitrine de ses bras. Un réflexe qui me fait rire aux éclats. Mon hilarité la gagne, elle se détend, rigole à son tour. Toutefois, elle me tourne le dos pour retirer les sous-vêtements et passer une nuisette. Ultime vision de ses fesses qui s'esquivent derrière un rideau de soie. Ravissement de l'âme. J'aurai peine à m'endormir, grisé que je suis par le souvenir de ma promise dansant pour moi avec lascivité.

À Paris, il y avait ces hommes qui détaillaient Nathalie, tantôt avec insistance, tantôt avec discrétion, toujours concupiscents. Bien qu'elle fît mine de ne pas le remarquer, je sentais qu'elle en était flattée; moi, selon que je les jugeais séduisants ou moches, je leur retournais des regards de haine ou un sourire de triomphe. Au fond, je trouvais agréable que les autres mâles m'envient ma compagne; pour les narguer, je la prenais par l'épaule ou la taille, et Nathalie se pressait contre moi. Sans doute voulait-elle ainsi se protéger de possibles avances. Peu importe, le résultat seul comptait: je la tenais dans mes bras au milieu de la foule!

D'être entourés d'étrangers nous faisait prendre la mesure de notre parenté, pas celle du sang, la gémellité d'âme, d'esprit et de cœur qui ne peut être que le fait d'un hasard providentiel ou d'un long travail d'appariement, d'influence réciproque et d'identification amoureuse. Nathalie, ma mère, ma sœur, ma fille, peut-être; avant tout, inconnue rencontrée devant un tableau, croisée dans une étude de Chopin, suivie dans une strophe de Verlaine, et reconnue comme cette part de soi perdue de toute éternité, qu'on croyait à jamais introuvable.

Après avoir épuisé les ressources de la ville, nous louons une voiture et partons vers la Provence en boudant les autoroutes, préférant un détour par le Massif central à la voie plus directe de la vallée du Rhône. L'habitacle de la

Citroën devient notre premier logement de jeunes mariés. Petites villes endormies dans leur provincialisme élégant, villages où nous plongeons dans les siècles passés. Hôtels «de la Gare», auberges rustiques, palaces de la Belle Époque. La campagne française, si variée, si bien préservée, déploie ses splendeurs; nous nous égarons volontiers sur des chemins vicinaux pour pique-niquer dans des lieux déserts, somnoler au soleil en vidant une bouteille de vin, jouer à cache-cache dans les buissons, nous poursuivre et lutter. Nathalie prétend retomber en enfance; c'est plutôt à la mienne qu'elle remonte, en ce temps béni où nous n'avions pas encore appris la gêne.

Monuments, paysages, moments d'émotion, incidents cocasses, confidences, rêveries parallèles: mémoire de notre couple, que nous assemblons pièce par pièce, ainsi qu'autrefois les filles à marier se constituaient un trousseau. Nous voilà nomades sans attaches. Avec la distance qui s'additionne depuis notre départ, avec le temps qui s'épaissit, nous viennent progressivement l'innocence et la liberté. Nous reprenons notre liaison là où un homme l'interrompit avant même que je n'atteigne mes six ans.

Cannes. Appartement au Majestic. Nathalie ne regarde plus à la dépense. Elle coule ses jours les plus heureux depuis longtemps. Depuis toujours. Elle voudrait que ce voyage n'ait pas de fin; je me dis qu'il n'en tiendra qu'à nous qu'il se prolonge après le retour à Montréal. Nous n'avançons pas tant dans la géographie qu'en nous-mêmes; mais je ne crois pas qu'elle s'en rende compte. Aussi, empressé je m'interdis d'être pressé, j'évite de brûler les étapes.

Plages grouillantes, parasols bigarrés, transatlantiques et nattes aux couleurs vives; je songe à quelque bazar d'Orient. Damier de corps bronzés et de peaux laiteuses, où nous trouvons toujours à nous caser. J'ai persuadé Nathalie de se baigner seins nus comme le font ici la plupart des femmes, et je monte la garde pour tenir en respect les importuns qui ne manquent pas de flirter ma compagne dès que je m'éloigne le moindrement. Des verres fumés me permettent d'admirer la poitrine maternelle sans que cela soit trop évident et d'examiner les autres baigneuses. Aucune ne supporte la comparaison; mère a les plus beaux nichons de la Croisette!

Un incident nous oblige à interrompre les longues stations sur la plage. Nathalie est affligée de sévères coups de soleil. Plusieurs fois par jour je badigeonne son corps d'onguent. Sauf le pubis et les fesses qu'a protégés le slip. Opération que je prolonge le plus possible en procédant avec délicatesse et sensualité. En a-t-elle conscience? Je le crois, bien qu'elle n'en laisse rien paraître. Ne voulant pas l'abandonner dans son malheur, je reste enfermé à l'hôtel avec elle. Agréable retraite après la vie trépidante des derniers jours.

Nathalie passe son temps à l'abri d'un parasol sur le balcon, nue car sa peau ne supporte le contact d'aucun vêtement, le plus léger soit-il. Je m'installe sur la partie ensoleillée de la terrasse pour me faire bronzer intégralement, offrant sans vergogne mon anatomie à la contemplation maternelle. Nudisme que je pratique, semble-t-il, avec désinvolture. Hypocrisie! Je me soûle des yeux. Et quelle joie je trouve à m'exposer, fier de mon corps tout neuf, pourtant déjà d'homme fait. Entre mes cils à peine disjoints, je constate que les regards de Nathalie glissent souvent de son livre à mon sexe. Même qu'une fois elle le désigne de l'index et, d'un ton badin, m'invite à la prudence: «Méfie-toi! C'est fragile, cette chose-là...» Alors, de sa sandale je fais un toit pour mon pénis. Nous rions de bon cœur.

Venise, destination favorite des nouveaux mariés. N'ayant pas effectué nos réservations longtemps d'avance, nous n'avons trouvé pour nous loger qu'une chambre... à deux lits. On ne peut tout avoir! Bonheur de vivre en permanence dans son intimité. La voir s'habiller, se maquiller, se coiffer, l'observer quand elle dort, surprendre son réveil, recueillir son premier sourire. Une agréable promiscuité s'instaure.

Un soir que nous rentrons guillerets d'un dîner bien arrosé, une dispute gentille s'élève pour savoir qui aura en premier l'usage de la baignoire. Nous avons beaucoup transpiré et la chaleur est encore étouffante. Je lui concède la priorité, cependant la rejoins après cinq minutes, en me déclarant incapable d'attendre plus longtemps. Avant qu'elle puisse protester, j'entre dans l'eau; elle me ménage une place derrière elle. Je l'attire pour qu'elle s'adosse sur moi, et elle se laisse aller. Ne se rebiffe pas non plus quand j'entreprends de savonner sa nuque, ses bras et ses épaules. Même chose lorsque ma main se hasarde sur sa poitrine, s'aventure sur son ventre jusqu'aux poils pubiens où toutefois elle ne s'attarde pas indûment. Mère frémit et ondule sous mes savonnages-caresses. Je réalise en ce moment un rêve que je traînais depuis l'enfance. Depuis cette fois où j'avais eu connaissance qu'elle était dans le bain avec *lui*.

Mon sexe bat contre ses fesses, et c'est peut-être ce qui la fait tressaillir, ainsi qu'un dormeur se réveille en sursaut, et sortir prestement de la baignoire. Pourtant, elle ne part pas. Debout, elle me contemple qui m'allonge dans la posture de la *Maja desnuda*, de Goya. Bras croisés, menton dans la main, se déplaçant à gauche, à droite, elle imite, sans omettre les moues et les froncements de sourcils, ce visiteur inculte confronté à une sculpture de Moore, qui nous a tant amusés à Londres. Mais... ces joues rosissantes? cette toux de nervosité? Ils lui appartiennent en propre! Je sais qu'elle me trouve beau. Alanguissement, regard, sourire: je me rends d'une indécence provocante. Elle réagit pour échapper à la fascination et s'agenouille à côté de la baignoire en disant: «À toi maintenant! Je vais te laver comme quand tu étais petit.» Ton un peu forcé. La douceur de ses mains sur ma peau! Ses effleurements si légers en même temps qu'insistants. Mes bras, ma poitrine; mes pieds, mes cuisses. Je vibre ainsi qu'une corde sous l'archet.

J'ai dû fermer les paupières car à la vue des seins qui oscillent au-dessus de moi, l'émotion devenait insupportable. Je les rouvre lorsque mère en arrive à mes organes génitaux. Ses doigts sur mon pénis! Combien de fois ai-je imaginé ce moment? Combien d'orgasmes ai-je atteints en inventant cette scène? Elle manipule mon sexe ainsi qu'un bibelot précieux, tremblant intérieurement. Elle étire le prépuce vers le bas, ricane pour masquer son trouble: «Là, il faut bien frotter!» Et elle savonne le canal à la base du gland, laisse remonter la peau, la redescend encore. «Comme tu n'avais pas été circoncis, le médecin m'avait recommandé de pratiquer ces mouvements sur ton pénis.» La réplique sonne faux. Dans l'intervalle entre les mots, le sifflement du désir qui oppresse sa respiration. Je bande et ne fais rien pour l'empêcher. Un rire ému: «Bébé, déjà tu réagissais comme ça...» Puis, elle m'aveugle d'une giclée d'eau et, emportant une serviette, s'en va dans la chambre.

Désemparé qu'elle m'ait ainsi laissé tomber, je fixe mon pénis érigé sur lequel plane encore l'ombre de ses mains. Au bout de quelques instants, je la suis. Un drap ramené sur elle. Yeux mous et humides qui me regardent venir. Si j'allais dans son lit, elle ne me repousserait pas. Je juge cela prématuré; il y a encore trop de stades intermédiaires à ne pas négliger, de petites joies que ce bonheur inouï ferait avorter. Coq qui parade, je passe au pied de son lit, la queue à la verticale. Passe lentement afin que Nathalie puisse admirer ma virilité et s'habituer à l'idée de la désirer. Moi aussi sous un drap où mon pénis dresse une tente. Silence. Soupir maternel. Sa voix incertaine: «Il est tard, je crois.» Souhaits de bonne nuit. Lumières éteintes.

Je commence de me branler, délicatement, comme quelqu'un qui use de mille précautions afin qu'un dormeur voisin ne s'en aperçoive pas. Cependant, mère ne dort pas, et je fais en sorte qu'elle devine dans quelle occupation je m'absorbe. Froissements du coton, légers craquements du sommier, respiration contrainte. Bientôt, je crois ouïr des bruits similaires en provenance de sa couche. Hallucination? J'appointe mon oreille. Ce clapotis ténu? Mère se caresse! Ou n'est-ce pas plutôt l'eau du canal qui lape le mur sous notre fenêtre? Son souffle embarrassé... Elle se masturbe, c'est sûr! En m'écoutant me masturber. Cette pensée enflamme mes sens, et pour contenir ma fougue, j'accorde les mouvements de mon poignet à la cadence des inspirations et des expirations de ma voisine. Et elle, qu'est-ce qui lui donne le tempo? Le roulis de mon matelas ou le raclement de l'air dans ma gorge desséchée? Dans la tiédeur d'une nuit vénitienne, une mère et son fils se branlent côte à côte.

Chacun peut feindre d'ignorer ce que fait l'autre, quand chacun est pourtant à l'affût du moindre indice; chacun peut prétendre ne pas savoir que l'autre est son public, quand en fait il se donne en spectacle. Malgré la retenue extrême dont nous faisons preuve, je discerne la montée du plaisir chez elle. À moins... à moins qu'elle dorme tout bonnement d'un sommeil agité! Une clarté diffuse filtre entre les lames des volets, cependant je n'ose tourner la tête vers Nathalie. Ce battement sourd, de plus en plus rapide? Ce n'est que mon sang dans mon oreille. Mais, ce halètement saccadé? Oui, c'est bien elle! Mon gland pulse à l'unisson, et lorsqu'elle exhale un profond soupir, j'éjacule en mordant mes lèvres. Je n'ai pu réprimer un brusque raidissement des reins qui a fait crier les ressorts. Jouissances parallèles! Le confirme l'extinction subite des inexplicables bruits à peine perceptibles. Ne s'entend plus qu'un essoufflement suspect. Dans la moiteur de l'air, fragrances confondues des plaisirs mâle et femelle.

Au matin, rien ne paraît de nos ébats nocturnes. Même insouciance, même désinvolture, même candeur que la veille, sauf peut-être quand l'un regarde l'autre à la dérobée. Alors, une expression qui ressemble à de l'inquiétude. Que cela se répète? aille plus loin? ou au contraire que ce n'ait été qu'un rêve? Nous faisons comme si de rien n'était, et le jeu de la séduction reprend entre les murs de Venise, marivaudage qui dissimule l'âpreté du désir. Rien ne me presse, tout la retient.

Alors que nous dînons à une terrasse en face du palais des Doges, observés avec curiosité par les voisins, car si peu mère et fils, je plaisante: on doit la prendre pour une femme riche en compagnie de son gigolo. Elle s'esclaffe. Aucun risque, je suis trop jeune. D'un ton chargé d'insinuations, je rétorque: «Tu crois?» Son sourire se fige, elle m'observe, interdite. Hésitations:

— Tu... tu as déjà couché... avec une fille?

— Pas encore, mais ça viendra. Vite.

Elle ne parvient pas à camoufler tout à fait son soulagement:

— Ne prends pas le mors aux dents! Tu prépares ton avenir, tes études doivent passer avant tout. Et puis, tout de même, tu n'as que treize ans!

— *Déjà* treize ans. Viril, pas encore usagé, une aubaine! D'ailleurs, il y a des femmes qui me détaillent avec des yeux qui en disent long...

Mère s'offusque. Je continue de m'amuser, avoue que ces regards d'appréciation me ravissent. Et elle, ça ne lui fait pas le même effet que les hommes la dévorent des yeux?

— Évidemment... Mais ce n'est pas tout à fait la même chose. Ces femmes exagèrent, qu'elles te laissent un peu mûrir!

— Il faut les comprendre. Je fais plus vieux que mon âge et je suis beau comme un cœur. Et puis, elles flairent l'ardeur du jeune mâle. C'est une chose à laquelle toute femme est sensible, non?

Cette fois, mère ne réplique pas et baisse les yeux vers

son assiette. Sur sa physionomie passe une ombre. Embarras que ma question finale l'ait ravalée au rang des autres femmes? Plutôt la honte d'éprouver à mon égard les mêmes sentiments que n'importe quelle femelle. Sa confusion me réjouit car j'y vois le début d'une prise de conscience de la nature véritable de nos liens. Sur le chemin de l'hôtel, je lui donne le bras en l'appelant «ma vieille femme riche». Elle n'apprécie pas la plaisanterie.

J'ai pavoisé trop vite; après cet épisode du restaurant, mère devient plus circonspecte dans nos rapports. Et j'en comprends la cause. Nous pouvons nous aimer à la folie, étaler notre nudité, même nous masturber en présence de l'autre, pourvu que subsiste le non-dit, pourvu qu'il soit loisible à chacun de croire que lui seul subit cette attirance «coupable» et que l'autre l'ignore. Ambiguïté suprême, car l'on sait au fond, que l'autre vit la même chose que soi. C'est pourquoi une allusion aussi bénigne que «gigolo» suffit à détruire la présomption d'innocence. Après le bain partagé, j'aurais pu me glisser dans ses bras, en elle, à condition d'observer un mutisme total. Mais que je lui dise simplement «je te désire», et elle poussera des hauts cris, s'épeurera, me rabrouera.

Je refuse ce silence! Le silence, c'est le lot des morts. Il me faut des mots, une parole, entendre mère proclamer son envie de moi. Je ne veux pas de faux-semblants: conduite qu'on tait parce que jugée répréhensible, acte sexuel fruit d'un concours de circonstances qu'on regrette ensuite. Je n'accepterai rien de moins qu'un amour assumé en toute lucidité. D'instinct, je sens que l'inceste est une loi naturelle, un précepte biologique, une ordonnance psychique. C'est la civilisation et la culture qui l'ont perverti, transformant l'enchantement en maléfice, l'insoutenable beauté en une monstruosité non moins intolérable. Mais ce mot d'inceste, comment pourrait-il être hideux quand il décrit mon union à Nathalie! Je n'ai que faire de la honte, de l'opprobre et des remords qu'on y rattache. Pas question de me faire accroire, pour ménager ma conscience, que je vois en Nathalie une femme quelconque. Au contraire, c'est d'abord la mère que je veux posséder. En sus, femme et femelle. Et j'entends qu'elle se donne au fils avant de se prêter à l'homme, de se soumettre au mâle. J'attendrai le temps qu'il faudra!

Donc, la voilà sur ses gardes, presque fuyante, et je m'adapte à sa conduite, m'invente décence et discrétion, en un mot, respecte le rythme de son inexorable chute vers moi. Je lui donne l'impression de ne pas remarquer son changement d'attitude. Peu à peu mise en confiance, elle cesse de se méfier, d'elle-même tout autant que de moi. Devant ce comportement, je songe à la relation qui s'établit entre la tarentule et la souris blanche. La première sait l'adversaire plus fort qu'elle, mais on dirait qu'elle table sur l'habitude du rongeur d'être gibier, sur ses réflexes de fuite.

Un jeu que j'ai imaginé. Mes araignées, ce sont des criquets qui leur servent de pâture. Et parfois, des souris naissantes, encore nues et incapables de se mouvoir. Un jour, j'ai eu l'idée de confronter des tarentules avec des souris presque adultes. Elles commençaient par s'épier, puis la peur les poussait à s'attaquer. Combat de gladiateurs comme dans les cirques romains. Tantôt l'araignée l'emportait, tantôt le rongeur triomphait; la plupart du temps, une fois l'araignée en pièces, la souris mourrait des morsures subies. J'ai de la sorte perdu plusieurs magnifiques spécimens, *Dugesiella hentzi, Lycosa punctulata, Latrodectus mactans, Lasiodera paraibana, Loxosceles reclusa*. Jusqu'au jour où je découvre une championne.

Lucrèce. Une *Gramostola*, mygale de l'Amérique du Sud qui m'a coûté la peau des fesses car elle a été importée au pays en fraude. Une beauté! Un monstre dont le corps fait bien 8 cm de long, les pattes plus de 20 cm d'envergure. Elle a vaincu une première fois, puis une seconde. Ses appréhensions du début ont vite disparu, elle a développé des techniques qui lui assurent chaque fois la victoire. Vider ensuite de son sang la victime, une formalité qu'elle expédie. C'est la chasse qui l'exalte. On dirait qu'elle a plaisir à risquer sa peau, sa kitine plutôt. Et les souris perçoivent cette intrépidité, la craignent sur-le-champ, ce qui fait que Lucrèce doit user de ruse, les rassurer en quelque sorte. La capture n'est jamais aisée, et leur cohabitation dure souvent plusieurs jours. Il m'arrive de sécher des cours afin de ne rien perdre du spectacle.

Au fil des jours, mère et moi mettons au point un ballet nouveau, en vérité toujours le même sauf qu'avec une chorégraphie modifiée. Et sans musique! Un pas en avant, un pas en arrière. Comme la danse nuptiale des grues! Chape de silence sur tout ce que l'un ou l'autre estimerait inadmissible. Sensualisme qui ne se nomme pas. Masques de tendresse filiale et d'affection maternelle dont se parent l'amour et l'appétence sexuelle; ne sommes-nous pas dans la ville des travestis et du Carnaval? Dévoilements en apparence accidentels, pudeur prise en défaut, gestes qui affectent la candeur. Chacun s'évertue à créer des occasions d'exciter l'autre sans que cela paraisse volontaire ou prémédité, exprime sa passion par des doubles sens ou sous le couvert de la plaisanterie. Et le désir s'exaspère, s'amplifie avec démesure du fait de ne pouvoir jamais s'affirmer. Même l'ivresse des soirs de bombance sert de paravent: baisers avec la langue, étreintes insistantes, aveux prononcés d'une voix pâteuse. «Je t'adore.» «C'est le plus bel été de ma vie.» «Je suis heureuse.» Toutes choses qu'on peut attribuer à l'excès d'alcool, et avoir «oubliées» le matin suivant.

La tradition veut que le Doge, personnification de la ville, épouse la mer en lançant de sa galère d'apparat un anneau d'or dans l'Adriatique. «Je te marie», dit-il. Cela m'a donné une idée. J'ai dérobé à mère le jonc que son mari lui avait passé au doigt à l'église, et je l'ai jeté dans l'eau d'un canal en prononçant une formule de divorce.

S'apercevant de la disparition du bijou, elle fouille la chambre, se demande où elle aurait pu l'oublier, essaie de se rappeler quand elle le portait pour la dernière fois. Recherches vouées d'avance à l'échec, auxquelles je participe pour la forme. Elle se désole: c'était un souvenir d'un prix sans commune mesure avec sa valeur réelle. Nul regret chez moi.

Le lendemain, nous affrétons une gondole, en touristes consciencieux se prêtant sans barguigner à cette véritable entreprise d'escroquerie, et alors que nous glissons sur le Grand Canal, j'offre à Nathalie un anneau d'or que j'avais acheté avant de... Surprise, émue, elle tend un doigt pour que j'y enfile la bague. Pour qu'elle ne croit pas que mon but est simplement de remplacer le bijou «perdu», je proclame d'un ton solennel: «Afin que tu n'oublies jamais que je t'aime.» Elle m'embrasse et, quelque peu intimidée par ses propres paroles, murmure: «C'est vrai qu'une mère et son fils sont unis pour la vie...»

Voilà tranché le dernier lien qui la rattachait à son passé d'épouse; l'anneau dans la boue de Venise, aucun obstacle ne se dresse plus entre nous. Et ce jonc qu'elle porte dorénavant signifie au monde, mais rappelle d'abord à mère, qu'elle est mienne. L'amour maternel, qu'endiguait la jalousie du mari, pourra déferler librement, déborder du cœur de Nathalie et, tsunami gigantesque, me submerger, noyer ma vie. À l'étale, on constatera que c'était de l'amour. Sans qualificatif pour en limiter la portée. De l'amour, un point, c'est tout.

Salzbourg, Vienne, Munich, Zurich, Berne, toujours plus loin j'entraîne mère, à des années-lumières du souvenir de sa vie avec *lui*, dans une galaxie où nous gravitons l'un autour de l'autre ainsi que des étoiles jumelles. Incommensurable bonheur. Amour exclusif qui entremêle les esprits et soude les cœurs, fond les chairs en une seule alors même qu'il n'y a pas encore eu commerce charnel. Proximité telle, que parfois on ne sait plus qui sent, qui pense, qui parle.

Et, indicible, la peur qu'une autre fois le cordon soit sectionné. Tant de choses peuvent survenir, maladie, accident, mort, pour nous punir d'être si heureux; à tout moment, le paiement de la dette peut être réclamé par la vie dont notre bonheur nous a fait débiteurs. La perspective du retour nous terrorise à tel point que nous prolongeons le voyage de deux semaines. Lac Léman. Quinze jours d'une frénétique présence à l'autre.

La première semaine à Montréal s'avère éprouvante. L'épuisement, nous l'attribuons au décalage horaire, pourtant nous gardons nos montres à l'heure de l'Europe: réveil à trois heures du matin, coucher à cinq ou six heures de l'après-midi. La ville retrouvée nous terrorise, et ce n'est qu'avant l'aube que nous osons sortir, ne croisant alors que les noctambules qui rentrent chez eux.

Le jour, nous nous barricadons à l'intérieur où nous arrivons à nous croire toujours en voyage. L'illusion devient toutefois de plus en plus difficile à nourrir, ne se réalise qu'au prix d'une dépense nerveuse excessive. Bien que nous n'ayons encore prévenu personne de notre retour, le monde et la vie ne peuvent que nous rattraper, et nous nous accrochons l'un à l'autre ainsi que deux naufragés sur le point d'être engloutis. Nous voilà incapables de nous quitter d'une semelle; le moindre éloignement serait perçu par chacun comme un abandon, qu'il soit le fait de l'autre ou de lui-même important peu. Même nos fonctions mentales s'amenuisent: penser et lire paraîtraient une infidélité à l'autre. Nous restons la plupart du temps assis en face à face, à ne rien faire. En contemplation.

Ma seule joie: revoir mes amies à huit pattes qui toutes ont survécu à mon absence. Comme je leur envie cet univers de vitre qui emprisonne le reste à l'extérieur. Nul besoin de grands espaces pour le bonheur. Et devant mes araignées, je rêve d'un aquarium de verre qui nous enfermerait, mère et moi, en une totale intimité. Projecteur en guise de soleil, sable fin, quelques rochers empilés pour ménager une caverne d'ombre: un désert miniature où nous deviendrions anachorètes. Le boire et le manger prodigués par quelqu'invisible gardien, protecteur de notre solitude plutôt que geôlier. Rien pour nous distraire de notre relation. La veuve noire et son mâle, et la danse d'amour et de mort à laquelle les astreignent les lois de l'évolution.

Des échéances approchent, retour au collège pour moi, reprise du travail pour elle. Alors, un après-midi, je fais couler un bain et invite mère à le partager avec moi. Il faut que nous parlions, lui dis-je. Elle accepte, espérant que j'aie trouvé une façon de nous tirer de notre torpeur, croyant que ce cérémonial pourrait signifier la fin du voyage, clore ce chapitre de nos vies. Tout au contraire, je veux qu'il en proroge le terme à l'infini. Elle est assise entre mes jambes, adossée à ma poitrine; nous regardons une affiche de Venise que j'ai suspendue à la pomme de la douche. La proximité physique soulage de l'angoisse. Le temps fond, s'étale en s'irisant telle une tache d'essence à la surface de l'eau. Nous rêvons devant l'image, revivons les semaines de notre lune de miel.

Ma main en écran devant ses yeux pour l'obliger à ne plus voir que mes mots. D'une voix calme et confiante, je lui explique qu'il dépend seulement de nous que le voyage se poursuive indéfiniment; la magie ne venait pas de l'ailleurs, mais du fond de nous-mêmes; le monde modèlera au gré de notre volonté, notre vie sera ce que nous la ferons; je connais un bonheur que je veux à tout prix préserver; et elle, n'en vit-elle pas un semblable? qu'elle ne le compromette pas en vertu de conceptions périmées, de préjugés dérisoires; ce qui est bon ne peut être que beau, sain; il suffit de se laisser guider par l'instinct, ça ne trompe pas comme la raison; qu'elle permette à son cœur de s'épancher sans tenter de nommer ce qui sourd, il n'y a rien à dire, qu'à vivre. «Ne réponds pas.»

Bercé par ma voix, son corps se relâche. Mes bras l'enveloppent plus étroitement. Silence. Je sens que son animalité transsude, décape la patine de civilisation. À présent, elle me perçoit ainsi que son mâle: protection, chaleur, confirmation de sa féminité. Un amant moins sensible que moi profiterait de son état pour passer aux actes. Il se gourerait, soufflant la flamme alors qu'elle vacille, encore incertaine. Moi, je lave Nathalie avec tendresse, évitant toute privauté, puis je sors du bain. Prenant sa main, j'embrasse l'anneau de notre mariage vénitien. Ce regard qu'elle me porte! Gratitude que je n'aie rien brusqué. Sans doute redoutait-elle quelque viol langagier. Mais j'ai retenu la leçon de l'Europe: l'inexprimé, l'implicite, marge où son sentiment peut pousser, étaler ses ramures sans bousculer son être intime, une construction aux assises lézardées.

Ainsi armés, nous consentons aux impératifs de la vie en société. Journées à l'extérieur, séparation propitiatoire qui assure la perpétuation du miracle: la rencontre de l'Autre. Vivement le soir pour la joie des retrouvailles. J'arrive avec des fleurs; elle, ma pâtisserie favorite. Les dîners s'éternisent car nous n'en finissons plus d'échanger; raconter nos journées, feuilleter l'album de nos souvenirs, révéler des pans de notre vie intérieure. Urgence du dire, reprendre le temps perdu, remplir au maximum celui qui file si vite. Parfois un silence, plus loquace encore que les mots, lourd d'un sens que ces derniers ne pourraient pas véhiculer.

Cinéma, théâtre, concert, expositions, restaurants: c'est ensemble que nous sortons. Nul besoin d'amitiés extérieures, notre couple est si riche qu'il se suffit à lui-même. Nous nous installons dans une existence tranquille en même temps que palpitante, la vie feutrée d'un vieux ménage qui respire en retrait du monde, le voyage périlleux d'explorateurs qui s'enfoncent dans une contrée étrangère.

Et le baiser avant la nuit chaque fois goûte la peur, celle de perdre l'autre, cette fois aux ténèbres, à l'inconscient, à la mort. Le premier éveillé se précipite dans la chambre de l'aimé, se penche sur son souffle. Toujours l'odeur de la vie! Celui que le baiser tire du sommeil attire l'autre à lui. Superposés, nous restons cinq minutes sans bouger, sans parler, à nous regarder dans les yeux. Nos corps séparés par les draps et les couvertures. Séparés? Toute l'épaisseur de l'univers n'y suffirait pas!

Nous avons des rituels. Chaque samedi matin, j'accompagne mère chez le coiffeur. Elle pâtit un peu des compliments et des œillades que ne me ménagent pas les autres clientes, des plaisanteries à double sens qu'elles font entre elles à mon sujet. Elle m'accuse ensuite de flirter. Elle a beau rigoler, je perçois chez elle un fond d'inquiétude, et j'entreprends de lui conter fleurette pour la rassurer. Une façon de dire en badinant ce qui, autrement énoncé, infirmerait notre convention tacite.

Nous passons la journée dehors; au retour, le bain. Après, nous allons dans sa chambre nous masser à tour de rôle. Le dos, les bras, les jambes. Chastement. Du plaisir, bien sûr, vu, ressenti, jamais exprimé. Je bande quand ses mains se promènent sur ma peau, elle mouille quand je pétris ses fesses; nous voilà dans une fringale que rien n'assouvit, qu'au contraire tout exaspère. Brûlure au corps dont chacun marque l'autre, comme on tatouait au fer rouge les galériens et les prostituées. Ensuite, nous nous habillons pour manger à l'extérieur.

Fuite en avant, car le monde devenu miroir nous renvoie l'image d'un couple. Simple passage. Nous ne sommes pas vraiment présents en ces lieux publics, à peine une bulle qui remonte dans un liquide. Non miscibles à la foule. Traversée du réel, avec les tripes nouées, lourds d'un désir qu'on cache ainsi qu'une grossesse honteuse. Notre incoercible intimité doit être flagrante. Me semble qu'aucune personne le moindrement perspicace ne peut manquer de voir en nous une paire d'amoureux. Beaucoup de femmes, en tout cas, devinent l'essence de notre relation. Ces coups d'œil dont elles nous gratifient! Curiosité un peu malsaine, trouble complicité, muette réprobation, jalousie à peine dissimulée. Ne les fascine pas tant l'étrangeté de notre situation, que la qualité de nos rapports dont elles ont l'intuition. Il me plaît qu'on se doute de notre secret.

Au retour du restaurant, nous dansons dans le salon. Un mot alors, première parole d'une déclaration tronquée, et tout est dit. Après, que nos respirations bruyantes sur fond de musique douce. Enlacement sans fin, frottements lascifs des corps moulés l'un à l'autre. Longs baisers colombins. Étourdissements, vertiges. L'excitation devient souffrance, et brusquement, je la quitte. Je gagne ma chambre, me dénude et me jette sur mon lit. Les reins en feu. Mon membre roide réclame son dû, mais je le laisse trembler d'impatience. J'attends les trois coups annonçant le lever de rideau. Plus grosse et imposante que jamais, ma queue dépasse largement la main l'enserrant à la base. Nathalie approche à pas de loup. La veilleuse allumée à la tête de mon lit, projecteur dirigé sur la scène de mon ventre. La porte de la chambre est ouverte et je m'abstiens de regarder en direction du couloir obscur où s'arrête le bruit des talons.

À ce signal, je commence de me branler en affectant de me croire sans témoin. Les yeux clos, je me caresse avec lenteur. Savoir qu'elle m'observe augmente ma fièvre à tel point que je ne peux faire durer bien longtemps le spectacle. Mon dos s'arque, mon pénis se tend à craquer. Regarde, regarde ce sexe qui voudrait te pénétrer, écoute ces gémissements dont tu es la cause. Je viens! Oui, oui, je viens! Giclures de vie. Semence que je gaspille en ton honneur. Aime-moi dans ma virilité. Aime-moi, je me sais beau quand je jouis, on dirait alors que je souffre.

L'orgasme passé, je retombe inerte et parais m'assoupir. Un pas léger s'éloigne, que je prends en chasse. Devant, une lueur perce l'obscurité. Je règle avec précision le bruit de ma marche: il doit à la fois m'annoncer et sembler se vouloir discret. La scène de tantôt se rejoue à l'envers. Moi, un peu en retrait dans l'encadrement de la porte; elle, nue sur son lit, qui se livre à ma curiosité. Le majeur de sa main droite s'enfonce dans le corps poilu d'une araignée; peut-être le mâle qui s'accouple avec une veuve noire. Saillie qui devient sauvagerie. Je frémis en imaginant mon gland livré à cette bouche de ténèbres. Quelle mort exquise ce doit être...

Danse du bassin, trémulation des seins; une plainte ininterrompue et allant crescendo. Les cuisses se referment, le ventre se contracte, et alors s'élève un cri rauque qui me secoue et me laisse pantelant. Bouche béante, mère halète, la main à présent morte sur le sexe repu. Par delà le lit, dans le miroir d'une commode, le reflet fantomatique d'un garçon captivé tout autant qu'épeuré. La lampe de chevet s'éteint, je m'en retourne; à mesure que je m'éloigne, mon érection renaît.

Cette fois, je ferme la porte de ma chambre et c'est dans le noir, pour moi seul, que je me branle. À plat ventre sur un oreiller, le pénis coincé dessous. Ce sont mes reins qui génèrent les mouvements masturbatoires. Sous mon corps, le corps de Nathalie. J'imagine que je la chevauche et je m'apprivoise à l'idée que son cri inhumain ne me disloquera pas.

Chaque semaine, nous faisons ainsi l'amour à distance, avec un léger décalage dans le temps. La conscience de mère s'endort peu à peu, sa culpabilité s'use, elle désapprend la peur de voir en moi l'amant. Mais jamais, au grand jamais, d'allusion à cette connivence dans l'onanisme.

Dimanche matin. Je prépare le petit déjeuner et le porte à sa chambre. Je me couche à côté d'elle, et nous mangeons au lit. Comme un couple au lendemain d'une nuit de liesse. Nous sommes en joie, libres et rieurs. Parfois son bras frôle le mien, alors je l'embrasse sur l'épaule ou dans le cou. En prenant une voix d'enfant, je répète ce que je lui disais à cinq ans: «Quand je serai grand, je vais me marier avec toi.» À l'époque, elle répondait que c'était impossible car elle avait déjà un mari. Incapable d'encore faire valoir cet argument, et surtout parce que je ne suis plus un enfant, Nathalie tourne mes propos en dérision. «Mais oui, mon chéri. J'aurai une robe blanche en dentelle et un gros bouquet; toi, un smoking. Nous commanderons un énorme gâteau à dix étages pour gaver la parenté. Nous vivrons heureux et aurons beaucoup d'enfants.» J'enchaîne sur le même ton, toujours dans mon personnage de petit garçon, cependant ce que je décris ressemble étrangement à notre vie actuelle. «Non, pas d'enfants! Nous vivrons seuls dans une grande maison et nous nous aimerons toujours. Nous ne serons jamais rassasiés l'un de l'autre. Nous souperons chaque soir en tête à tête, nous ferons des sorties à deux, et le dimanche, nous prendrons le petit déjeuner au lit.»

Par crainte que j'en vienne à proférer des vérités qu'elle ne veut pas encore entendre, Nathalie bondit sur moi et cela dégénère en séance de lutte. Chacun cherche à renverser l'autre afin de remonter la robe de nuit ou baisser le pyjama et servir une fessée au postérieur dénudé. Souvent je la laisse gagner, car après quelques claques retentissantes, elle mord vicieusement mes fesses. Moi, je préfère lui pincer l'intérieur des cuisses.

Je finis toujours par l'immobiliser en m'assoyant sur ses hanches, et je tiens ses poignets jusqu'à ce qu'elle cesse de se débattre. Je lèche ses aisselles au goût aigrelet, à l'odeur musquée; elle me traite de «sale cochon». Pour me venger, j'imprime une sucette dans son cou, tète son nez, fouille ses narines du bout de ma langue. «Dégoûtant! Malpropre!», crie-t-elle. Je l'embrasse sur la bouche, ses lèvres se dérobent à peine. Après le baiser, elle se récrie,

Souvent, je sors Lucrèce de son terrarium pour la laisser se promener sur mes bras et ma poitrine. Jamais elle ne m'a mordu, pourtant j'ai des sueurs froides en la déposant, cette fois, sur mon pénis au repos. Elle s'y plaque, ne remue pas; la température lui plaît, à moins que ce ne soit l'odeur. Je bande, Lucrèce s'agrippe au membre, l'enserre comme si elle se préparait à le dévorer. Je me soumets à la volonté de l'insecte. S'il décide d'en faire sa proie, je n'aurai aucune réaction de défense; la douleur, je la supporterai avec stoïcisme et je garderai les yeux ouverts sur le spectacle de mon supplice.

Après une interminable station sur mon organe génital, Lucrèce commence d'arpenter mon ventre et mon torse; ballet étourdissant des pattes, voluptueux touchers qui m'électrisent. Elle s'arrête, rebrousse chemin, revient, inexorablement se dirige vers mon cou; il y a là, au-dessus de la clavicule, une dépression où elle aime se blottir afin de sentir pulser ma carotide contre son abdomen. Elle prend son temps pour y arriver, sans doute pour savourer le plaisir de l'anticipation. Bel insecte, je suis comme toi, vorace mais patient. Infiniment patient. Longtemps tu observes la souris acculée dans un coin, et qui ne peut plus t'échapper. Jamais tu ne hâtes la mise à mort; la goûter des yeux avant de la caresser des pédipalpes. Je me reconnais dans ce comportement: je retarde le moment de me saisir du corps de Nathalie, pour bien me délecter de ce qu'elle me procure déjà.

Je la possède, comme *lui* ne l'a jamais possédée. Il s'en lassa vite, se détourna d'elle pour embrasser le monde, d'autres femmes aussi sans doute. Il la prit encore, de temps en temps; à peine plus. Il oubliait, s'il l'avait jamais sue, la richesse inouïe de cet être d'exception. Puis, il a tout perdu. À présent, le cœur de mère, son âme, ses pensées, son temps, tout est à moi, à moi. L'hypocrisie avec laquelle nous dissimulons la nature de nos sentiments n'infirme en rien mon droit de propriété; elle ne sert qu'à ménager l'amour-propre de Nathalie, à lui épargner d'admettre qu'elle ne s'appartient plus, m'ayant tout donné, admettre que je n'existe pas en dehors d'elle car elle m'a tout pris, admettre que nos vies se confondent désormais et qu'il n'est de survie possible sans l'autre. Pas question que je lui dessille les yeux; il faut qu'elle s'en rende compte par elle-même, l'accepte, nomme cela «bonheur» et «amour». Et quand elle regardera enfin la vérité en face, qu'elle pourra déclarer «je t'aime» avec la passion d'une femelle en rut, alors seulement je consommerai notre union.

Un soir que nous veillons au salon, la télé montre une mère qui allaite son enfant. Nathalie s'émeut de cette image lui rappelant qu'elle m'a ainsi nourri. Je l'interroge; elle se remémore cette époque, raconte quel nourrisson goulu j'étais, comment je la réclamais par des pleurs qui cessaient dès qu'elle ouvrait son corsage, avec quelle avidité je me précipitais sur un sein, agrippais l'autre mamelon dans ma menotte, redoutant sans doute qu'il m'échappe avant que je ne sois prêt à m'occuper de lui. Ce qu'elle ressentait, elle, en ces occasions? Elle ne saurait le décrire, un moment de plénitude, un bien-être incomparable.

Impulsivement, je couche ma tête sur ses cuisses et tends vers sa poitrine des lèvres que je fais claquer avec un bruit de succion. *Un regard d'affamé.* Sans réfléchir, obéissant à un réflexe ancien, elle déboutonne sa blouse et descend sa chemise. Ma bouche encercle le mamelon, l'aspire. Et je tète. Je tète, et le visage maternel s'épanouit. Je tète, tantôt avec douceur, la langue toute en caresses sur le tétin, tantôt avec vigueur, mordillant la chair. Ma main gauche se referme sur le sein libre. Mère se redresse, s'adosse et rejette la tête par en arrière. Je tète, et le temps ruisselle. Je tète, dans un contentement infini, yeux clos, renouant avec des joies dont j'ai longtemps été privé, effaçant le sevrage cruel subi treize ans plus tôt.

Ses doigts dans mes cheveux, ses lèvres sur mon front, sa respiration sifflante; son cœur bat avec violence, et le mien y accorde sa musique. Nos corps se phagocytent réciproquement, nos âmes s'amalgament, plus rien ne nous sépare: une seule peau, mitoyenne, dont nous occupons chacun une face. Mon épaule écrase son ventre où un organe, l'utérus sans doute, se contracte dans un mouvement de déglutition. Sursauts brusques et brefs de ses cuisses qui cherchent à s'ouvrir et qu'un geste volontaire referme. Le bassin est en travail. Je tète; ma salive goûte le lait, déborde aux commissures, et je bourdonne de satisfaction. Sa main s'affole dans mes cheveux, elle presse ma tête sur sa poitrine. Elle habite une jouissance qu'aucun acte sexuel n'aurait le pouvoir d'engendrer.

Soudain, cri horrifié! Mère m'arrache à elle sans ménagement, me repousse. Avec tant de force que je chois sur le plancher. M'enjambe. Se sauve. Je ramasse la mule qu'elle a perdue dans sa fuite et la poursuis. La porte fermée m'interdit sa chambre. Je n'ose ouvrir mais appelle, d'abord avec douceur, puis avec rage, frappe l'huis du poing, me calme, supplie. Nathalie est sourde à mes appels. Couché par terre, tel un chien qu'on oblige à rester devant le seuil.

À partir de ce jour, tout change. Mère fait montre de réserve, répond avec froideur à mes discrètes avances, refuse mes plus bénins témoignages d'affection. Mes baisers du matin et du soir l'agacent. Elle tressaille quand je l'appelle «ma chérie» ou la prends par la taille. Lorsque, lassé, je suggère qu'une bonne conversation s'impose, elle réplique sèchement qu'il n'y a rien à dire.

Deux soirs d'affilée, elle dîne à l'extérieur. Le samedi suivant, brisure de l'harmonieuse organisation de notre vie: elle fait des courses avec sa mère et, en soirée, voit une collègue. En rentrant, elle va directement à sa chambre sans prendre la peine de me saluer. J'avais tout agencé pour qu'elle me surprenne en train de me donner du plaisir, espérant que cette vision la remettrait sur le droit chemin! Je tâche de ne pas trop m'en faire. Elle se rétablira vite du choc, s'ennuiera de notre amitié complice; sous peu, tout rentrera dans l'ordre.

Mère s'affaire déjà dans la cuisine quand j'y arrive pour préparer le petit déjeuner du dimanche matin. Je m'étonne qu'elle n'ait pas attendu que je le serve dans sa chambre; elle décrète tout de go que je suis maintenant trop vieux pour grimper dans son lit. Je suis tellement désarçonné, que je réponds par une blague grivoise: «Au contraire, j'atteins tout juste le point d'être utilisable...» Et tout de suite après, devant son regard hargneux, presque de haine, je réalise l'ampleur du désastre. Elle me repousse! Elle me rejette! Ça me fiche un tel coup que ma raison vacille. Je déraille! Saute sur elle, la coince contre le réfrigérateur, défait le cordon de sa robe de chambre, baisse mon pyjama, la serre dans mes bras, me frotte à elle, la palpe, cherche à l'embrasser et crie: «Tu es à moi! tu es à moi! tu es à moi!»

Elle se débat, me traite de fou, m'ordonne d'arrêter. Sa stupeur fait place à la crainte séculaire de la femelle devant la fougue du mâle. Et cet air de victime fouette mon ardeur, je deviens hystérique; je vais la soumettre à mon désir, dussé-je pour cela la violenter. Du bras gauche, j'ai ceinturé sa taille et j'essaie de pousser mon pénis entre ses cuisses serrées. Elle hurle, résiste, me griffe; insensible à la douleur, je tire ses poils, pince ses grandes lèvres pour la forcer à s'ouvrir. Nous luttons farouchement. Puis, alors que je crois que sa résistance faiblit, elle parvient à m'administrer plusieurs gifles et calottes magistrales qui me font reculer en chambranlant.

Consternation! Essoufflés, nous nous dévisageons en silence. Elle a encore les griffes sorties; je retrouve peu à peu mes esprits. Sa colère, ma honte, notre incrédulité réciproque. Non! c'est un mauvais rêve. Pourtant, son vêtement en désordre? les rougeurs sur ses cuisses? Mon visage labouré par ses ongles? Je me tiens devant elle, aussi désemparé que lorsqu'enfant j'avais brisé un vase chinois ancien afin de la punir de m'avoir abandonné une semaine pour accompagner son mari dans un voyage d'affaires. Des larmes sur ses joues. Piteux, j'implore: «Je t'aime, Nathalie. Je t'aime.» Le ton pourrait la toucher, mais elle remarque ma queue toujours en érection dont les tremblements soulignent mes mots.

— Tu m'aimes? s'écrie-t-elle d'un ton sarcastique. Tu m'aimes! Mal! Pas comme on aime une mère. Ça ne peut plus continuer. C'est malsain, morbide. Je vais t'envoyer consulter un professionnel.

Non contente de me répudier, elle se décharge de sa part de responsabilité, m'oblige à porter seul le fardeau de la «faute»! Ma rancœur se déchaîne.

— Jamais! Tant qu'à ça, fais-toi soigner toi aussi! Oui, je te désire, et ça te plaît! Seulement, tu veux bien m'allumer mais pas risquer de te brûler. Tu joues avec mes sentiments au gré de tes caprices. Aucun respect pour ma sensibilité, aucune considération pour l'amour sans borne que je te porte. Je suis comme une souris entre les pattes d'un chat. Que je bande pour toi, ça t'amuse, une preuve de ton pouvoir; et quand ça ne te fait plus rire, ça t'offusque... Je vais te dire ce que tu es: une agace-pissette!

Ma tirade l'estomaque. Sa bouche s'ouvre sur une exclamation qui ne sort pas; ses épaules s'affaissent, elle cache son visage dans ses mains et sanglote. Mon réflexe premier serait de la prendre dans mes bras pour panser sa blessure, effacer ce qui vient d'être dit, cependant j'ai l'intuition qu'il faut au contraire arracher l'escarre, gratter la plaie, en extraire le pus. Au bout d'un moment, mère reprend le contrôle d'elle-même, s'efforce de parler en personne raisonnable:

— Oui, peut-être... n'ai-je pas toujours été correcte. Mal exprimé ma tendresse... Oui, c'est ça, mon attitude a pu donner l'impression que... prêter à confusion.

Je gueule:

— Non! C'était très clair! C'est très simple: je suis ton homme, un point, c'est tout.

Comme si elle n'avait pas entendu, elle continue avec le même calme:

— Nous nous sommes engagés sur une mauvaise pente. Peut-être vaudrait-il mieux nous séparer quelque temps. Une pension...

— Mauvaise mère! Mère sans cœur! Tu veux te débarrasser de moi! M'abandonner comme un petit animal devenu encombrant...

Le visage éploré, elle plaide:

— Ce serait provisoire. Le malentendu dissipé, nous recommencerions à neuf.

— Je ne te laisserai pas faire. Si ça arrive, je me tue!

Son air horrifié! Ma physionomie confirme que je ne profère pas des paroles en l'air, que je mettrais ma menace à exécution. Elle s'effondre, désespérée. Je la harcèle, cette fois d'une voix malheureuse, l'accuse injustement:

— Tu ne m'aimes pas, tu ne m'as jamais aimé.

J'ai touché le point sensible. Elle m'ouvre les bras, m'enserre pour me réconforter:

— Mais si, je t'aime... Trop... Pas comme une mère devrait... pas comme un fils.

Je me cramponne à elle, et pour finir de l'amadouer, dis avec des accents larmoyants:

— Je ne veux pas te perdre, je ne veux pas te

perdre...

Son être ne peut rester sourd à l'appel du mien. Elle m'étreint avec force. Elle non plus ne veut pas me perdre, ne *peut* pas me perdre; ce serait renoncer à l'élan vital. Notre silence est éloquent: nous allons trouver moyen de moyenner, mettre entre parenthèses cet épisode malheureux afin de l'extirper de la conscience, de «l'oublier». La partie est gagnée. Mais soudain, au moment où l'attendrissement atteint un sommet, voilà qu'un orgasme me surprend à l'improviste. Un grognement, et j'éjacule sur le ventre maternel. Elle se dégage avec brusquerie et, sidérée, contemple les traînées luisantes sur elle. Elle secoue la tête, répète d'un ton de découragement: «Non!... Non!... Non!...» Puis s'en va en courant. La porte de sa chambre claque. Je regagne mes quartiers où je m'enferme pour revivre en pensée la scène, tenter de comprendre mon attitude et, surtout, déterminer la ligne de conduite à adopter.

Au début, je suis atterré par le drame juste vécu, crains que l'avenir de notre relation ne soit irrémédiablement compromis. Mais, à la réflexion, le désarroi maternel m'accomode. Il arrive que, d'un bond, la souris échappe à l'araignée qui l'avait bloquée dans une encoignure; dans sa fuite éperdue, le rongeur constate ensuite qu'il n'y a pas d'issue, qu'il partage la prison de l'insecte. Quand la souris a esquivé une première attaque, Lucrèce se tient immobile au centre de la scène, sachant que le temps joue en sa faveur. La proie va se calmer, s'habituer à la présence de l'insecte, en venir à le voir comme le pivot autour duquel tourne son existence, éventuellement perdre toute prudence. Alors, ce sera la curée. Et si d'aventure, la souris sauve encore une fois sa mise, le jeu reprendra, identique, cercle infernal rompu par la capture ou par l'intolérable angoisse qui amènera la proie à se livrer d'elle-même aux crochets à venin.

Le sort qui guette mère n'a rien du carnage, et si nous devons adopter les rôles d'araignée et de souris, c'est uniquement parce qu'elle confond notre amour avec la mort, le commencement avec la fin. En érigeant des murs de verre autour de Nathalie, je ne vise que son bonheur. Quand j'étais enfant, elle entravait ainsi mon libre-arbitre, pour garantir mon bien-être, parce que je ne comprenais pas toutes les implications des événements, estimais mal la portée de mes actes. Après coup, je devais admettre qu'elle avait eu raison. La même chose se produit auourd'hui, en sens inverse. Cette fois, mon jeune âge me donne plus de clairvoyance qu'elle dont le jugement a été faussé par l'éducation et les compromis nécessaires à la vie en société.

Je pensais redoubler de gentillesse à son égard, user de toutes les ressources de ma personnalité pour réparer les dommages causés à notre union, mais je reconnais vite que ce serait une erreur. Je suis une araignée. En conséquence, je me campe au milieu de la vie de Nathalie, immobile, en apparence détaché. Peu à peu, elle cesse de courir en rond, se rassure: j'ai sans doute compris que je ne pouvais désirer ma mère au même titre que toute autre femme. Elle baisse la garde; pas encore suffisamment à mon goût. Elle mène sa vie, et moi, la mienne, sans qu'elles interfèrent beaucoup. Du moins, mère le croit-elle, comme elle me croit devenu raisonnable.

Abandonnées nos tendres habitudes. Plus de baisers, de soupers d'amoureux, de sorties; surtout pas de petits déjeuners au lit ou de bains en commun. Et je vais plus loin dans l'indifférence en supprimant les attentions délicates, les fleurs, les surprises. Je me comporte en adolescent égoïste qui se soucie peu des autres. C'est la mère? À elle de préparer les repas, de faire les courses, de s'occuper de tout dans la maison. Si elle demande mon aide pour la vaisselle ou une autre des tâches domestiques que nous partagions autrefois, je prétexte des devoirs ou m'exécute en maugréant.

Cette attitude l'agace, de même que la froisse mon désintérêt outrancier de sa personne. Habituée à être tout pour moi, elle tolère mal d'être devenue rien de moins qu'une complète étrangère. Je sens qu'elle en souffre. Elle s'imagine avoir perdu un fils et s'en tient rigueur. Mes silences, mes faces de bois, elle les interprète comme des reproches. Elle se voit piégée: impossible de regagner l'affection de son enfant unique sans alimenter son amour coupable et ses désirs incestueux. Et... et si elle avait rêvé tout cela? Elle en vient à mettre en doute ses souvenirs, en cause son jugement. N'accorde-t-elle pas une importance démesurée à un incident somme toute anodin? Je ne suis qu'un enfant, elle une adulte; elle devrait être en mesure de me tenir tête, de me garder bien en main.

La voilà telle la souris hors d'haleine qui s'arrête et contemple l'araignée en s'étonnant de fuir ainsi. Elle a des dents aiguës, des griffes; n'est-elle pas plus lourde, plus forte, plus rapide que l'autre? En fixant l'insecte, elle se demande si elle n'a pas tout imaginé: sa voracité, la cruauté de son regard, son envie de la dévorer. Vit-elle seulement, cette masse noire au centre de l'aquarium? Et sa vie à elle, la souris blanche, a-t-elle un sens si l'autre n'existe pas? Que l'araignée ne s'occupe plus d'elle la déconcerte. Alors, elle charge. Comme mue par un ressort, Lucrèce se dresse sur ses pattes arrière, exposant son appareil buccal terrifiant, battant l'air de ses pattes antérieures, et devant cette vision cauchemardesque, le rongeur bat en retraite.

Un matin mère m'aborde par derrière, m'enlace la taille et m'embrasse la nuque, en me reprochant avec douceur d'être distant. D'un mouvement d'impatience, je me dégage et d'une voix venimeuse lui réponds de ne pas jouer avec le feu.

Mère se figure que j'ai tourment de cet amour dont j'aurais admis l'impossibilité, et pour s'éviter d'en être témoin, pour ne pas le nourrir par sa présence, elle sort de plus en plus fréquemment avec des amies, se crée des occupations à l'extérieur, conseil d'administration de son association professionnelle, colloques et conférences, ignorant que des parois transparentes la cernent.

Elle a invité une compagne de travail à la maison, et à cette occasion, je suis redevenu un garçon enjoué, brillant et flatteur. Je captivais cette femme de trente ans qui, oubliant mon âge, se montrait sensible à ma cour travestie en amusette. Mère s'en rendait compte, et ses joues frémirent lorsque son invitée vanta ma beauté et mon charme, affirmant que je ferais bientôt le malheur des femmes. Un tressaillement presque imperceptible qui ne m'a pas échappé, et où j'ai discerné une certaine jalousie. Et, qui sait, peut-être même le regret d'avoir laissé passé l'occasion!

Ensuite, Nathalie voit son fils dans une autre optique, comme si, ne pouvant oublier le regard de cette femme qui le faisait mâle, elle adoptait son point de vue. Cela l'insécurise, d'autant plus que je ne laisse pas l'événement sombrer dans l'oubli. À maintes occasions, je reparle de cette amie, m'informe d'elle, surtout pour savoir s'il y a déjà un homme dans sa vie. Mère s'efforce de prendre mon intérêt avec humour et m'en demande la raison. «C'est une belle femme, élégante et sexy. Je lui plais, c'est évident, et je ne détesterais pas être initié par elle.» Son indignation n'est pas feinte, ce qui étonne, compte tenu de l'ouverture d'esprit que je lui connais. *Pourrait* m'étonner, si je ne savais... «Une beauté juvénile comme la mienne, c'est troublant... Ça doit être émoustillant de se savoir la première, celle que l'on n'oubliera jamais.» Dans un mouvement d'humeur, mère rétorque de me laisser sécher le nombril et, en attendant, de me contenter de la masturbation.

Arrive toujours un moment où la souris se demande l'effet produit par l'étreinte de l'araignée, les baisers de ses appendices buccaux et la piqûre des crocs. Et si, au lieu de la mort en résultait une griserie sans borne? une extase inimaginable? La fascination de Nathalie renaît, ou plus correctement, refait surface, car elle n'avait jamais réussi à s'en libérer, à peine à la refouler. Et pour y échapper, elle s'épivarde, tente de faire diversion. Une semaine avant l'anniversaire de la mort de son mari, elle accompagne «un ami» au théâtre! Et elle prend bien soin de m'en avertir d'avance, en ajoutant qu'ils vont sans doute se revoir chaque fin de semaine. Elle surveille ma réaction, cependant en est pour ses frais: je demeure impassible.

Je n'ai pas l'intention de laisser les choses se passer ainsi qu'elle l'entend! À son insu, j'organise pour le samedi un service anniversaire auquel je convie la parenté. Nathalie n'est prévenue que la veille au soir; elle serait bien mal venue de rouspéter, toutefois, elle n'arrive pas à dissimuler tout à fait son agacement. Elle s'habille en noir pour la cérémonie, plus belle que jamais avec le chagrin qu'elle retrouve intact. C'est aussi *lui* qu'elle retrouve, lui que j'ai exhumé afin qu'il serve mes desseins, après avoir tout fait pour qu'elle l'oublie. Devine-t-elle le piège tendu? Elle va réaliser que le bonheur qu'elle vivait depuis onze mois, j'en étais l'artisan, et que n'eût été de moi, elle pataugerait encore dans la douleur du deuil.

Et je ne fais pas les choses à moitié, ne recule devant rien pour que la leçon lui soit profitable. Au grand-père, je déclare que le défunt nous manque cruellement; au reste de la parenté, que nous parlons sans arrêt de père, qu'il vit toujours au milieu de nous. Prisonnière de mes mensonges, mère ne peut que confirmer mes dires. À une tante, deux fois veuve, qui prodigue d'insipides conseils (la vie continue... le bonheur est encore possible... il faut recouvrer la joie... il y a d'autres hommes...), elle ment à son tour affirmant n'y avoir point songé, son malheur étant trop récent. En chaire, je prononce un éloge dithyrambique du disparu, discours inspiré de l'éloge de Henriette de France par Bossuet, morceau de bravoure qui au collège me vaudrait une accusation de plagiat, mais ici fait renifler parents et amis. Sur le perron de l'église, on m'entoure et me félicite. Quelqu'un dit à mère: «Par chance, tu as ton fils! Est-ce qu'il s'occupe bien de toi?» Elle répond d'un hochement de tête affirmatif; moi seul saisis la signification de son regard d'effarement: elle vient de se cogner le nez sur une des parois de l'aquarium!

J'ai commandé un lunch chez un traiteur, et nous régalons nos invités à l'issue de la messe. Du sous-sol, j'ai remonté la photographie du défunt qui trône à présent entre deux bouquets sur le piano. *Il* est l'objet de toutes les conversations, on le pare de toutes les qualités. Ceux qui lui manifestaient de l'animosité de son vivant sont les premiers à déplorer que la mort l'ait emporté si jeune, avant qu'il n'ait pu donner sa pleine mesure. Une sœur, moins hypocrite, s'informe du règlement de la succession dont elle espère récolter quelques miettes. Pauvre bonhomme! s'il pouvait être témoin de cette réunion, il se désolerait fort: à part le grand-père dont la sincérité ne saurait être mise en doute, tous les autres ont des sentiments sujets à caution; la peine de mère, c'est moi qui l'ai fabriquée, la mienne est totalement factice.

Une fois le lunch et les boissons épuisés, Nathalie et moi nous retrouvons seuls. Et désœuvrés, car elle a évidemment contremandé la sortie prévue pour ce soir-là avec son «ami». Après une demi-heure d'un mutisme obstiné, sa colère éclate, et elle me demande le sens de cette mise en scène grotesque: «C'est toi-même qui avais voulu effacer les traces de sa présence!» Je m'étonne de ses paroles, prétends que je songe souvent à mon père et tais ma peine à seule fin de ne pas raviver la sienne. J'essaie d'aimer mon père à travers sa femme, en lui apportant à sa place affection et protection. Au début, elle ne prête pas foi à mes dires, cependant j'en rajoute tant, et avec tellement de conviction, qu'elle devient dupe de mon jeu. Je finis par l'accuser d'être frivole, de vouloir remplacer son défunt mari par le premier venu. Qu'elle agisse comme bon lui semble, joue les veuves joyeuses si elle ne peut s'en empêcher, mais qu'au moins elle ne me reproche pas de vénérer la mémoire de mon père.

Au bout du compte, elle pique une crise de nerfs. Elle était prête à tout affronter, sauf les reproches d'un orphelin, et désemparée, elle perd pied. Elle replonge dans le veuvage dont je l'avais extirpée, le reprend à l'endroit exact où elle l'avait laissé l'été dernier. Elle congédie son «ami» sans le revoir. Pendant des jours et des jours, je suis aux petits soins pour elle, entretiens son chagrin ainsi que ces personnes soi-disant bien intentionnées qui ne font en réalité que prolonger la convalescence du malade dont ils ont la charge. La comparaison est boiteuse; moi, j'œuvre vraiment dans son intérêt.

Sous ces apparences de manipulation et de cruauté, je n'ai qu'un but: l'obliger à se regarder en face, à reconnaître l'existence en elle de ce désir qu'elle nie de toutes ses forces. Pauvre mère... Dans l'état d'affliction où je la maintiens, quel appétit elle développe pour ma sollicitude! Avec quelle gratitude elle accueille mes moindres attentions! Comme elle a besoin de moi! Elle croit que la pensée du défunt la protège de la virulence de son amour pour moi. Une cuirasse, le chagrin? Au contraire, la revoilà aussi vulnérable qu'il y a un an, alors que moi je suis tellement plus aguerri. Sa détresse est un terrain propice pour une greffe de passion sur le tissu de l'amour maternel. Je la vois recroquevillée et tremblante dans un coin; le moment est-il venu de l'hallali? Je soupèse la question durant plusieurs jours, puis décide que non. Il faut qu'elle explore d'abord la cage de verre qui l'enferme en ma seule compagnie, qu'elle bute sur les trois autres parois invisibles qui délimitent son univers, qu'elle comprenne l'inéluctable de son sort.

Oh! cette reconnaissance quand, au bout de quelques semaines, je la libère. Le portrait du mort disparaît, je remplace son vêtement noir par une petite robe fleurie, le premier présent que je lui fasse depuis deux mois, et j'insiste pour qu'elle participe à la réunion générale annuelle de son association. Un week-end à Québec. Seule. Sa joie à boucler sa valise! Dans son esprit, ce petit voyage marquera le moment de sa renaissance. Mais à la vérité, il n'en est pas la cause. C'est par mon comportement et mes discours des jours précédents que je l'ai délivrée du deuil. Je préfère qu'elle ne le sache pas.

Va, mère! Oui, cours, vole, imagine que le monde s'ouvre devant tes pas et qu'aucun obstacle ne se dresse entre toi et son immensité, ignore encore un peu ces liens qui t'attachent à moi. Tu découvriras bien assez tôt que ta course ne peut qu'être concentrique, que ta fuite éperdue te ramène toujours au centre, au point de départ, à moi. Va. Amuse-toi.

Elle est revenue enthousiaste, ces trois jours ayant fini d'effacer toute trace du veuvage que je lui avais fait subir ces derniers temps. Gaie, enjouée... en liberté! J'ai épluché son carnet d'adresses et trouvé un nom nouveau, celui d'un homme, aussi n'ai-je point été surpris quand elle m'a annoncé, avec une désinvolture un peu forcée, que le week-end suivant elle voyait un ancien ami retrouvé. Une rapide enquête m'a appris qu'il s'agit d'un médecin. Quarante-deux ans, divorcé. *Ancien ami retrouvé!* Avant le week-end à Québec, elle ne le connaissait ni d'Ève ni d'Adam! Fort bien.

Il ne dure pas très longtemps. Ensuite, c'est un autre, puis un autre. Nathalie en fréquente jusqu'à deux ou trois par semaine. Une jeune fille qui papillonne, désireuse de mettre son charme à l'épreuve! Rien de sérieux, à peine des amourettes, même pas, des flirts. Cependant, le risque existe qu'elle s'éprenne, ne s'intéresse plus qu'à un seul, tolère de moins en moins d'être éloignée de lui, l'amène coucher à la maison. Elle est chaude de tempérament et a des mois de chasteté à compenser. Le désir, par moi aiguillonné, la tenaille. Il n'est que de voir ses yeux qui pétillent et son excitation quand elle se prépare à rejoindre l'un ou l'autre de ses soupirants.

Je souffre de sa conduite, surtout que, rassurée par mon attitude, elle se gêne de moins en moins. Comme j'ai eu mal quand elle est restée une demi-heure dans la voiture de celui qui venait la reconduire. Pour elle, trente minutes d'embrassements passionnés; pour moi, trente minutes d'agonie à la surveiller derrière le rideau. Sa culotte, récupérée ensuite dans le panier à linge, était encore trempée à la fourche! Elle a mouillé sous les baisers et les caresses de cet homme, ainsi qu'une adolescente transportée par ses premières séances de pelotage. L'odeur du sexe de mère... Dire qu'il sera d'abord à un autre mâle! Misère... Mais, il faut qu'*elle* boive le calice jusqu'à la lie.

Pour l'été, mère me propose un stage dans un campus en Angleterre où je perfectionnerai mon anglais. Ah! Elle veut m'éloigner pour avoir les coudées franches... baiser en paix... Hé bien, elle ira à l'hôtel ou devra se résoudre à le faire sous le même toit que moi! Je refuse l'offre du séjour en Angleterre, affirmant que j'ai déjà un emploi d'été. Cela la surprend, j'invente n'importe quoi: livreur dans un supermarché. Mère s'esclaffe. Livreur, moi, un élève du meilleur collège privé de la ville! Trop drôle! «Je veux être autonome.» Elle est prête à augmenter mon allocation. «Pas question que je me fasse entretenir par ma femme!» Cela ne la fait pas rire. Il y a l'héritage de mon père, j'ai droit à ma part. Je ne veux ni de l'argent du mort, ni du sien à elle. Et si nous louions une maison à la campagne? Elle m'y rejoindrait chaque fin de semaine. Là encore je dis non. De guerre lasse et sans comprendre mes motivations, mère abdique devant mon entêtement. Je passerai donc l'été à Montréal.

Tout compte fait, l'idée de devenir livreur n'a rien de saugrenue. N'ayant pas l'âge requis pour être employé par un épicier, je serais en quelque sorte un entrepreneur indépendant. Sur le chemin de l'école, j'ai déjà remarqué, à la porte d'un supermarché, des garçons qui proposent aux clients de transporter leurs paquets dans une voiturette. Le magasin se trouve dans un autre quartier que le mien, plus populaire. Un samedi, je me rends repérer les lieux, étudier le manège des commissionnaires. Ce sont surtout des femmes qui retiennent leurs services, et l'excédent de l'offre sur la demande engendre une féroce compétition. La concurrence ne m'effraie pas, qui constitue la base de la pédagogie au collège que je fréquente. Auprès de ces femmes d'un certain âge, je suis persuadé de damer le pion aux autres aspirants livreurs grâce à mon charme naturel et à ma bonne éducation.

Seulement voilà, ces garçons semblent tous originaires du coin, et il n'est pas certain qu'ils tolèreraient la présence d'un intrus. D'autant plus qu'ils me sentiraient d'un niveau supérieur à eux. Par ailleurs, je ne possède pas de voiturette, et même si j'ai les moyens d'en acheter une, je me vois mal l'emporter chaque jour de chez moi à ici. C'est mon sens de la psychologie des êtres qui une fois encore me tire d'affaires. J'aperçois un garçon plus vieux et plus grand que les autres; il n'a pas tellement de clients et, de toute façon, travaille à reculons. Cette occupation ne doit plus répondre à ses aspirations profondes! Et puis, presque adulte, il inquiète sans doute nombre de femmes.

Je l'aborde et lui propose de travailler à sa place. Je louerais sa voiture deux dollars par jour. Il se méfie, réfléchit en détaillant ma mise et trouve curieux que j'aie besoin d'argent. J'argue que mon père en a mais le garde pour lui; je dois toujours quémander, même pour aller au cinéma. Lui aussi est affligé d'un père tyrannique, et nous fraternisons vite. Il m'offre une cigarette que j'accepte. Finalement, la transaction est conclue: je prendrai le véhicule chez lui chaque matin et paierai la location d'avance. Alors, il me présente aux autres, sur lesquels il a beaucoup d'ascendant, comme son employé. Il empoche le billet de banque et s'en va, sous les regards admiratifs des compétiteurs, en songeant peut-être à monter une entreprise: acheter des voitures et engager des porteurs...

Me voici sur le marché du travail! Durant la première heure, je me contente d'observer comment s'y prennent les autres. Mal. Nous sommes alignés en rang d'oignons le long du trottoir, et, lorsque sort du magasin une cliente potentielle, ils se précipitent tous sur elle, l'entourent, proposent leur aide avec insistance, en la tirant par la manche et en la tutoyant. Cette bousculade agace les femmes qui ne savent lequel choisir. Si elles ont un livreur attitré, c'est à lui qu'elles font signe; parfois, elles choisissent au hasard, le plus souvent, disent non à tous parce que cette agitation les a énervées.

La porte s'ouvre sur une dame âgée, courbée sous le poids de lourds paquets; à coup sûr, une cliente pour l'un de nous. Mais la voilà au milieu d'un tourbillon d'adolescents qui crient tous en même temps. «Moé! moé! moé! J'vas porter tes sacs. Pas cher.» Elle semble exaspérée. Je suis en retrait, calme et silencieux; quand son regard se pose sur moi, je lui souris et désigne ma voiturette d'un geste gracieux. «Toi!» me dit-elle. Je la raccompagne en lui faisant la conversation. L'intelligence de mes propos, mon langage soigné et mes bonnes manières l'impressionnent. Je raconte que je fréquente un collège et travaille pour aider mes parents à défrayer le coût de mes études. Cela la touche.

Je monte les sacs jusqu'à son appartement, au troisième étage d'une maison sans ascenseur. La cliente me donne un pourboire de deux dollars, le double du prix convenu, et insiste pour que je me repose un peu. En l'aidant à placer les provisions dans le réfrigérateur et le garde-manger, j'apprends qu'elle est veuve, que ses deux enfants sont mariés et habitent, le garçon à Sherbrooke, la fille au Lac Saint-Jean. Sans doute vit-elle passablement isolée, car je lui sens un immense besoin de parler. Elle fait toujours ses courses le samedi matin; si je suis devant l'épicerie, c'est moi qu'elle encouragera. Sur le pas de la porte, elle recoiffe mon toupet du bout des doigts, en me recommandant de ne pas m'épuiser à la tâche.

Six autres livraisons en cette première journée de travail. Un seul homme comme client. Mes confrères manquent de constance; dès qu'ils empochent trois ou quatre dollars, ils désertent, ce qui fait qu'à trois heures, je suis seul au poste. Jusqu'aux examens, je ne travaille que les jeudi et vendredi soirs, et toute la journée du samedi. J'acquiers rapidement plusieurs pratiques fidèles, ce qui provoque une certaine animosité chez mes confrères; cependant, mon «patron» passe de temps à autre voir comment je me débrouille, et cela suffit à les calmer. Au bout de quelques semaines, ils m'ont accepté et attribuent mon succès au fait que je suis «mardeux», ce qui, dans leur parler, signifie «chanceux». Pauvres idiots! Ils ne savent pas que, quoi qu'on fasse, tout est dans la manière. S'ils ne l'apprennent pas vite, ils n'iront pas loin dans la vie.

Mère espérait que je me lasserais de mon emploi et opterais pour l'Angleterre. Elle s'est fait une raison. J'ai l'impression que cela la rassure de me voir développer mon autonomie; peut-être entrevoit-elle déjà le moment où je volerai de mes propres ailes... Les illusions qu'une mère peut entretenir sur son fils! Surtout quand elle se double d'une amoureuse que travaille la concupiscence. Elle m'oublie (sans doute avec mauvaise conscience, car elle ne me néglige pas tout à fait) pour s'occuper à vivre en femme libre. J'ai déjà vu des souris blanches se mettre à grignoter et à vaquer à leurs occupations comme si elles étaient seules dans l'aquarium...

Les classes se terminent. Six jours par semaine je m'attelle à la voiturette. Au début, je trime dur, acceptant tous les clients qui se présentent; après quelque temps, je les choisis, ayant découvert qu'il est plus rentable de miser sur la qualité que la quantité. Je pourrais dire: cultiver les relations humaines plutôt que de m'esquinter à porter des paquets. À d'autres, les couples, les hommes, les mères de famille avec leurs rejetons et les adolescentes! Ma clientèle se compose exclusivement de femmes, d'âge mûr ou encore plus respectable. La cadette a quarante-cinq ans. L'épouse malheureuse d'un alcoolique qui court la galipote et la bat parfois. C'est effarant le nombre de bouteilles de bière qu'elle me fait trimbaler! Des pleines à l'aller, des vides au retour. En plus de mon salaire de convoyeur, je garde l'argent de la consignation; il s'agit en quelque sorte de mes honoraires de confident.

Une fois que nous rangions la bière au réfrigérateur, elle a éclaté en sanglots; avec tact et délicatesse, je l'ai confessée, subissant durant une heure le récit de ses malheurs. Se confier lui fit un bien énorme; après avoir dissipé sa gêne subséquente, je lui ai prodigué des encouragements. Mon intelligence des choses de la vie l'a étonnée; en fait, je n'ai dit que ce qu'elle voulait se faire dire:

elle est dans la force de l'âge, bien de sa personne, et devrait quitter ce monstre pour recommencer sa vie. Elle a poussé des hauts cris, sans grande conviction d'ailleurs, et fait valoir des arguments contre cette suggestion. Je devine que, sans être encore prête à accepter cette idée, elle a besoin de l'entendre énoncer. Je suis la première personne à ne pas lui prêcher la résignation, à lui laisser entrevoir la possibilité d'échapper à l'enfer qu'elle traverse.

Pour approvisionner en alcool son ivrogne de mari, elle vient à l'épicerie à tous les deux jours; chaque fois, je reste au moins une heure chez elle. Nous parlons, elle surtout. Même que j'arrive à l'occasion à la dérider; elle m'appelle son rayon de soleil. Elle recommence à s'arranger, se coiffe, se maquille, porte des bijoux. Admet-elle en son for intérieur que c'est pour me plaire qu'elle soigne ainsi sa personne? À cause de moi qu'elle se veut désirable? Quoi qu'il en soit, je ne manque jamais de la complimenter sur son apparence.

À elle aussi je joue mon personnage d'enfant intelligent de milieu modeste, qui veut réussir dans la vie et s'applique aux études avec sérieux. Je porte toujours les mêmes vêtements, propres mais usés; j'ai même posé une pièce au genou de mon pantalon qui n'en avait pourtant pas besoin. S'il fallait que mère voie ça! Je ne cherche pas tant à attirer la pitié qu'à éveiller l'instinct maternel. Et ça fonctionne! Toutes mes clientes s'inquiètent de ma santé, craignent que je m'éreinte au travail, veulent savoir si je mange suffisamment, si je ne suis pas malheureux à la maison. J'en ai une quinzaine. Des femmes qui m'ont «adopté» et chez qui je m'attarde un long moment lors des livraisons.

Toutes m'aiment et me font des cadeaux. De l'argent surtout: «Pour t'aider à payer tes études...» «Achète-toi des douceurs...» Elles m'offrent aussi des vêtements que je n'oublie pas de porter le jour où je vais chez la «bienfaitrice» de qui origine le présent. Je trouve naturel d'être mieux payé qu'un livreur ordinaire; après tout, je consacre à chacune plusieurs heures par semaine afin de l'aider à combler sa solitude. En fait, c'est moi qui leur fais la charité: mon temps, mon amitié, mon écoute. La générosité de ces amies me rapporte plus que mon travail de commissionnaire, et l'envie me prend parfois de rendre la voiture; cependant le prétexte est encore utile, et je persévère.

La femme de l'alcoolique m'a amené dans un grand magasin pour m'habiller de pied en cap en prévision de la rentrée scolaire. Cette joie qu'elle avait à me voir transformé en «petit monsieur» par ses soins! Le lendemain, je suis retourné échanger les vêtements contre des objets que je donnerai éventuellement à mère: du parfum et un ensemble de sous-vêtements en soie. Ce travail d'été a beau me tenir éloigné de la maison, pas une seconde la pensée de Nathalie ne quitte mon esprit. Comme j'ai hâte de la retrouver au soir, bien que je ne le montre jamais. Comme sa beauté me repose des visages si moches de mes clientes!

Mais rien n'est plus comme avant. Elle rencontre des «amis» trois ou quatre soirs par semaine. J'en ai mal, mais de ça non plus, je ne laisse rien paraître. Nathalie présume que tout est rentré dans l'ordre, que notre relation est maintenant «correcte», comme celle qui existe d'habitude entre toute mère et son fils. Comment peut-elle oublier que je l'aime à la folie? oublier que je la désire par-dessus tout? Comment peut-elle se cacher qu'elle m'aime tout autant et que c'est moi qu'elle cherche à travers les autres hommes?

En consultant l'agenda de Nathalie, je constate qu'elle prend congé un certain mercredi après-midi. Moi aussi. Posté au coin de la rue, je la vois rentrer vers une heure avec un homme qui ne repart qu'à cinq heures trente. Un peu plus tard, je la trouve en robe de chambre, d'une gaieté inaccoutumée, et, pendant qu'elle prépare le repas, j'inspecte son lit refait à la hâte. Taches de sperme sur le drap! Je m'en doutais! Depuis une semaine, ne traîne-t-elle pas dans son sac des condoms? Le paquet n'est pas encore ouvert... À moins que ce ne soit pas le même! Pourquoi n'en a-t-elle pas utilisé cet après-midi? Le type a subi une vasectomie? Ou bien elle était tellement enflammée qu'elle a oublié la capote? Elle voulait sentir le contact du pénis sur les muqueuses de son vagin? Alors, elle n'aura songé à la contraception qu'au dernier moment, et il se sera retiré pour éjaculer. Saloperie! J'ai mal! J'ai mal...

Elle me surprend examinant la preuve de son infidélité. Un cri, mon nom, puis: «Tu n'as pas le droit!» Sans répondre, je cours à ma chambre pour pleurer. Des larmes qui me remontent de tous les âges, d'aussi loin que le moment où j'ai eu l'intuition qu'elle n'était pas pour moi mais pour *lui*, de ce moment où j'ai su qu'*il* abusait du corps de mon aimée et qu'elle y consentait avec joie, de ce moment encore où j'ai compris qu'*il* l'aimait moins bien que moi, et qu'elle s'en contentait. Des larmes venues de tous ces jours où elle ne voyait pas que j'étais là, brûlant de ferveur et de dévotion, donné totalement à elle, donné à jamais.

Des pleurs également «raisonnés». Oserais-je dire «calculés»? Un désespoir véritable, certes, mais porteur d'espoir (si cela a un sens!) car désespoir utile: un moyen de communication qui fait l'économie des mots, toujours réfutables. Quelle déclaration d'amour pourrait avoir l'éloquence de la détresse conséquente à son adultère? Attirée par mes sanglots, aussi impérativement que le papillon par la flamme, mère s'amène. Hésitante, navrée, coupable. Elle s'assoit au bord du lit où je suis étendu à plat ventre, touche mon épaule, m'appelle avec douceur. Me demande de l'excuser: elle ne voulait surtout pas blesser ma pudeur. Ma peine redouble du fait qu'elle n'en comprenne pas la nature. Pudeur, pfft! Peine de cocu, oui. Saine jalousie. Honnête possessivité.

Je couche ma tête sur ses cuisses où la robe de chambre s'est entrouverte. Me caressant la tête, mère parle d'une voix incertaine. Je suis assez vieux pour comprendre qu'elle est une femme, qu'elle a un cœur, un corps; besoin d'affection, besoin d'amour physique.

— Je suis là, moi!

— Oui, mais ça ne peut suffire. Tu es mon fils...

— Un homme, aussi!

— Et moi, ta mère. Malgré tout ce... Il y a des... choses qui...

Elle a peur des mots qui allaient venir, ou ne les croit pas. Elle tait sa vérité et débite plutôt, leçon apprise par cœur, des propos rationnels que je n'écoute pas. À travers mes larmes, j'observe les poils noirs qui frisottent par l'échancrure de sa culotte, et je vois le pénis d'un homme forcer son chemin dans cet antre sacré. Je déguste mon malheur sans rien perdre du toucher merveilleux de cette main sur ma nuque.

Épuisé par l'extériorisation de ma souffrance, bercé

par la caresse de Nathalie, je finis par m'endormir. En vérité, je fais semblant. Je veux mettre fin à la scène en évitant les platitudes. Mère dépose ma tête sur l'oreiller et m'embrasse longuement dans le cou en murmurant «mon chéri, mon chéri...» d'une voix presque désespérée. Ma réaction à sa trahison lui rappelle l'amour exclusif que je lui voue, ramène à sa conscience l'amour similaire qu'elle me porte et refuse. Plus tard, je l'entends qui renifle dans sa chambre, et c'est au son de cette musique céleste que je m'endors réellement.

Pas de travail aujourd'hui. Mon «patron» s'inquiètera pour son argent, et Mme Lavoie, pour la santé de son petit-fils adoptif. Je vais montrer à mère avec quelle élégance un fils bafoué sait se comporter au lendemain même de l'outrage. Quand elle revient du bureau, je suis en habit et cravaté. Sur la table, le beau service en Sèvres et l'argenterie. Truite fumée, tournedos bouquetière et tropéziennes. Mère ne sait trop que penser: «Des fleurs! du champagne! En quel honneur?» Je désigne l'anneau à son doigt: l'anniversaire de nos fiançailles à Venise. Sa surprise passée, Nathalie s'excuse de n'y avoir point songé. Pauvre elle! J'ai choisi la date de façon arbitraire; n'eût été sa faute d'hier, l'idée d'une commémoration ne me serait jamais venue.

Ma bonne humeur et ma désinvolture l'enchantent, signes que le drame de la veille n'a pas causé chez moi de dégâts irréparables. Elle n'est pas loin de croire qu'au contraire, mon indiscrétion, en l'obligeant à mettre cartes sur table, a replacé les choses dans leur contexte véritable, notre relation dans la «normalité». Elle me remercie de cette attention délicate et m'embrasse (sur les joues!) en me souhaitant bonne fête. «Je ne suis pas dans une tenue convenant à pareille circonstance! Donne-moi un petit quart d'heure.»

Quand elle reparaît, c'est dans cette robe de soirée blanche qu'elle sait tant me plaire. Profusion de bijoux, maquillage très souligné, surcharge qui dans la bonne société dénoterait un manque de raffinement mais dans notre salle à dîner crée de la magie. Elle porte les bas à couture achetés à Paris, et je suppose qu'elle a endossé les sous-vêtements qui les accompagnaient; son sourire intimidé: j'ai deviné juste! Alors que nous prenons l'apéritif, je revois Nathalie dansant pour moi dans une chambre d'hôtel. Y songe-t-elle aussi?

La chaîne stéréo diffuse des études de Chopin, morceaux qu'elle me jouait enfant, et l'émotion nous étreint qu'il n'est nul besoin de dire. Nous nous regardons pardessus nos verres, et j'ai tout à coup une vision très nette de l'ambiguïté de Nathalie. En une seconde, des dizaines d'images me traversent l'esprit, des faits qui tous confirment mon intuition. Le repas est joyeux. Nous nous remémorons notre voyage de l'année précédente, en écartant les souvenirs trop équivoques. Malgré cette contrainte, la séduction réciproque joue à plein. La facilité avec laquelle se rétablissent la complicité et la connivence me fait croire qu'un sortilège préside à nos rapports. Sans doute depuis ma naissance. Un charme jeté par quelque fée qui se pencha sur mon berceau. Notre amour: une fatalité à laquelle rien ne pourrait nous soustraire.

Au café, je lui remets une boîte enrubannée. Ses exclamations! son émerveillement devant la culotte et la chemise de soie! Je ne connais personne qui sache autant qu'elle apprécier un cadeau. Elle m'embrasse, cette fois sur les lèvres. Comme elle plaque les vêtements sur elle pour juger de l'effet, je lui demande de les essayer. Je la suis à sa chambre et, appuyé au cadre de la porte, je la contemple. Elle ne proteste pas contre mon voyeurisme et se dévêt, me tournant le dos mais s'offrant de face dans la glace. La robe retirée, je retrouve mon effeuilleuse parisienne. Lent déshabillage ponctué d'œillades qu'elle m'adresse par le biais du miroir. Sa nudité dont j'ai été privé depuis tant de mois... Les sous-vêtements lui vont évidemment à ravir puisque je les ai choisis! Au comble de la joie, elle se pavane devant mes regards énamourés. Comment pourrait-elle n'être pas consciente qu'elle se comporte en séductrice, en enjôleuse plus rouée que le pire des lovelace? Pourtant, elle se montre candide, à peine une enfant étourdie.

Coup de tonnerre dans son ciel radieux: «Je ne te demanderais qu'une chose; ne les porte pas pour coucher avec d'autres hommes.» Stupeur. Ses yeux cillent. On dirait un oiseau désorienté qui s'affole. Alors, magnanime, je lui dis de ne pas s'en faire; je comprends qu'elle ait envie de baiser, c'est tout à fait normal et sain, et elle a ma bénédiction pour coucher avec qui elle veut. Je ne l'aimerai et ne la respecterai pas moins pour autant. Elle n'a pas à faire la chose à la sauvette, à se sentir coupable. Elle est ici chez elle et peut amener des hommes pour la nuit si cela lui chante; je n'ai rien à redire et ne ferai pas d'histoires. C'est son manque de confiance en moi qui m'a chagriné la veille, le fait qu'elle se soit cachée de moi pour vivre sa vie. C'est la dissimulation qui m'a fait percevoir l'événement comme monstrueux.

À mesure que je parle, son visage se détend, et elle perd son air de petite fille penaude devant un parent qui la gronde. Elle sourit finalement, de toute évidence soulagée que je me montre si compréhensif. J'émets une réserve: «Mais pour ce qui est de cette culotte et de cette chemise...» Elle acquiesce d'un signe de tête; j'insiste pour qu'elle le dise. Elle avale sa salive et murmure, non sans peine: «Aucun autre homme ne les verra.»

Ensuite, pour la rendre tout à fait à l'aise, lui signifier que l'orage était passé, je la taquine: «C'était bon au moins?» Mine inquiète que je lui fais perdre d'un clin d'œil malicieux. «J'espère sincèrement que tu t'es envoyée en l'air à ton goût. Depuis le temps, ça devait te manquer...» Elle rougit et cache sa bouche de ses mains pour rigoler avec nervosité. «C'était un amant acceptable?» Au-dessus de ses doigts, ses yeux brillent. Elle opine du chef. Nous rions. Ainsi que le ronflement de la mer dans un coquillage, dans mon oreille l'écho des gémissements qui accompagnent son orgasme. J'ai peine à ne pas laisser transparaître ma souffrance.

Peut-être voulait-elle profiter de mes bonnes dispositions pour établir un précédent: ça n'a pris que deux jours avant que mère emmène un homme dormir chez nous. Son inquiétude quand elle me l'a présenté avant le dîner! Ils avaient hâte de passer au lit, mais je les ai retenus longtemps au salon en interrogeant le type sur sa profession d'architecte. Inconscient que je lui faisais subir un examen (j'aime bien savoir qui nous fréquente), il était flatté par mon intérêt; quant à ma mère, elle s'enorgueillissait d'avoir un fils si brillant. J'ai tout de même fini par leur laisser le champ libre en me retirant dans mes quartiers. Ma présence dans la maison les incitait à la plus grande discrétion; même en collant l'oreille à la porte de la chambre, c'est à peine si j'ai perçu de vagues rumeurs de leur prestation. Nathalie se permettait plus de volubilité en se branlant sous les regards de son fils!

Au petit déjeuner, j'ai fait comme si tout allait de soi. Un observateur non averti aurait cru que tous les trois nous déjeunions ensemble depuis toujours. Cependant, quand Nathalie s'absentait, je détaillais son mec d'un œil goguenard, poussant quelques sous-entendus. Une fois, je lui ai même demandé si mère était une bonne baiseuse. «Mon père prétendait que si.» Ne sachant trop comment réagir, il ne tenait plus en place. J'ai l'impression de l'avoir traumatisé; il y regardera à deux fois avant de revenir sauter ma mère sous le toit familial!

En fin de compte, elle maintient sa dépravation dans les limites du raisonnable... Ils ne sont que trois à visiter son lit. Un qui s'amène le mardi et le samedi; un autre le vendredi. Le troisième, marié, ne se pointe pas plus souvent qu'aux deux semaines; celui-là, je le liquide très vite. Un coup de fil à sa femme, et on ne le revoit plus. Je suppose que devant une accusation si précise, nom, jour et lieu, il a dû passer aux aveux, implorer le pardon, jurer de ne plus recommencer. Dommage! il était sympathique... L'architecte dure trois semaines; ensuite ses visites s'espacent. Quand je m'informe de lui, mère s'assombrit. Cette histoire l'intrigue; il est libre, il semblait plutôt attaché à elle, et le voilà distant, qui décommande des rendez-vous, invente des excuses pour ne pas passer la nuit avec elle. Moi, j'en sais la raison: c'est le fils qu'il fuit.

Roger. Je joue sur sa terreur de tomber une autre fois dans le piège du mariage. Durant quinze ans, il a été l'époux d'une femme qui lui a fait quatre enfants et bien des misères. Je le traite en père, lui demande conseil en tout, l'invite à venir plus souvent, l'oblige à m'amener à une partie de hockey alors que je n'ai aucun intérêt pour ce sport. C'est quand je commence à faire des projets de vacances où il a sa place, que la panique s'empare de lui. Seul moyen de préserver sa liberté si chèrement reconquise: disparaître de notre vie.

Cependant, le plus simple pour chasser les amants de Nathalie, c'est de devenir à leurs yeux un témoin, pas tant un fils qui sait ce qu'ils font à sa mère, qu'un maquereau qui leur prête sa poule. Avec certains, complicité et complaisance d'un cocu content; avec d'autres, froideur et distance qui leur donnent l'impression que je les jauge. Dans un cas comme dans l'autre, ils me trouvent encombrant, d'autant plus que mère leur parle beaucoup de moi. Enchantée sans doute par ma permissivité et mon amitié affectueuse, elle ne tarit pas d'éloge à mon sujet, vante ma prévenance et ma délicatesse, leur montre avec fierté mes cadeaux, fleurs, parfums et bijoux, alors qu'eux-mêmes oublient ces détails. Rien de pire pour un homme que de se sentir en compétition avec le fils de sa maîtresse! Il sait que quoi qu'il fasse, il n'aura jamais le dessus; dans l'obligation de choisir, la femme n'hésiterait pas à sacrifier l'amant.

Et mère s'étonne que les hommes la laissent tomber si vite! Une fois qu'elle s'en plaignait à moi, je l'ai rassurée (en évitant bien sûr de me mettre en cause!) et leur ai fait endosser tous les torts. Les hommes d'un certain âge deviennent frivoles, redoutent de s'engager et s'intéressent surtout à la conquête, histoire de se rassurer sur leur pouvoir de séduction et leur virilité. «Prends un amant plus jeune!» Elle a fait mine de ne pas saisir l'allusion. Une autre fois qu'elle se désolait de la perte d'un amoureux, j'ai dit: «Il n'y en a qu'un de fidèle. Celui qui aime et souffre en silence.» Là, elle a compris et s'est détournée, livide. Les choses vont comme je l'entends: mère arpente sa prison de verre.

Puisqu'elle me trompe à qui mieux mieux, je ne vois pas pourquoi je me gênerais. L'expérience que j'acquerrai ainsi lui profitera en fin de compte. Quand elle a commencé de baiser avec des hommes, j'ai regretté de ne pas l'avoir cueillie alors que c'était possible, en ces occasions qui se sont présentées depuis l'an dernier: notre voyage en Europe, notamment à Venise; les semaines consécutives au retour à Montréal; quelques soirs d'ivresse durant l'hiver; les jours suivant le service anniversaire de son défunt mari. J'ai retardé la prise de possession en me disant que mère devait s'offrir d'elle-même, mais n'était-ce pas un prétexte fallacieux?

En faisant un examen de conscience approfondi, j'en suis venu à la conclusion que j'avais reculé par peur. Peur de mon désir, un désir si grand qu'il menaçait de m'engouffrer à jamais, si puissant que je risquais de perdre irrémédiablement tout contrôle sur moi-même. Et la vie sexuelle de mère avec ses amants a relancé ma terreur... pour ensuite l'atténuer: malgré la torture de la jalousie, le passage d'autres hommes dans le vagin maternel me rassérénait. C'est pour m'habituer à mon désir, apprendre à le vivre sans en périr, que je me suis mis à «fréquenter» des femmes; avec quel ébahissement je me suis découvert son suzerain! Quel bonheur j'ai trouvé à m'abandonner à cette bête (seule façon d'en prendre plein contrôle) dont la violence me donne des ailes.

Avec la fin de l'été, je laisse tomber mon occupation de livreur. Je conserve sept «amies» qui estiment que ce travail nuirait à mes études et me versent une aide pécuniaire pour m'en libérer. Sept clientes que je revois régulièrement sans l'alibi de porter leurs commandes d'épicerie. À la fois grands-mères, mères et maîtresses. Des femmes esseulées à qui je fais l'aumône de mon amitié, des femelles inassouvies à qui je prête un corps tout juste d'âge nubile, de vieilles amantes pour qui je suis l'aubaine inespérée, qui s'en rendent compte et m'adorent sans réserve. C'est si simple de séduire une femme! tellement facile de l'amener à se plier avec empressement à notre volonté! Ce pouvoir me grise.

C'est en août que cela a commencé. Quelques semaines après que ma mère eut pris un amant. Depuis un moment déjà, j'étais conscient de l'attitude plutôt louche de certaines clientes vis-à-vis de moi. Même que j'en jouais. En riant, elles disaient: «Voyez-moi ça qui fait son petit homme!» Certes, elles plaisantaient, cependant c'est bien ainsi qu'elles me voyaient: un petit *homme*. Et j'identifiais chez elles les signes d'une attirance certaine envers moi. Quand une femme a pareil comportement, cette façon de vous détailler sans en avoir l'air, il suffit de lui renvoyer ce fameux *regard d'affamé* pour qu'elle appréhende ce qu'il y a de trouble en elle. Ou bien ses yeux s'esquivent, ou bien elle me contemple, interdite; celle-là est démunie, vulnérable. Il s'agit qu'une fois elle demeure silencieuse devant mon désir, ne le repousse ni du geste ni de la parole, pour ensuite ne pouvoir plus qu'y succomber.

D'autres miment l'ignorance de ce qui se passe en elles, espèrent se méprendre sur mon compte; elles me demandent pourquoi je les regarde ainsi. Avec ferveur, je réponds «c'est plus fort que moi», en ajoutant, au choix, «vous êtes si belle» ou «je vous aime tant» ou «je me sens attiré par vous» ou encore «ça me fait mal quand je ne vous regarde plus». Elles ont beau rire pour se dissimuler leur peur, elles sont toujours en face de mes prunelles faméliques. Leurs lèvres tremblent. Je sens leur élan de nourrice; leur cœur de mère débonde devant la demande d'amour; leur corps de femelle entend le brâme du mâle. Elles sont confrontées tout à la fois au fils et à l'amant. Bien qu'elles luttent encore contre elles-mêmes, je n'ai qu'à mendier un peu plus des yeux, à me montrer moi aussi effrayé par ce qui surgit en moi, pour qu'elles chancellent. Et si elles croient que je suis comme elles aux prises avec le désir, elles oublient de combattre, subjuguées par le spectacle du tumulte des passions dans une jeune âme. Alors, je leur laisse voir que je suis vaincu, que les pulsions triomphent, et, devant cette puissance obscure dont elles flairent la proximité, elles se rendent sans l'avoir vraiment décidé.

Tout s'est joué en dehors d'elles, devant elles, sur mon visage. Leurs traits se décrispent d'un coup, leur regard s'embue, on dirait que leur chair appelle les crocs; elles ne se conçoivent plus que pâture, boisson, manne, becquée. Cette envie d'elle chez le jeune mâle, elles ne peuvent que s'y soumettre. Pas un mot. Seulement mes yeux qui maintenant hurlent des ordres. Surtout, ne pas demander, prendre. J'avance. Pas lents mais délibérés. Mes doigts s'approchent, elles frissonnent avant même le contact. Elles sont au-delà de tout, de la peur, de la morale, du respect humain, terrassées par mon désir. Je les saisis par la taille, les embrasse dans le cou; leur tête tombe par en arrière, balle. Je souffle fort et elles s'ouvrent, se donnent. Mes mains dirigent, tout m'est permis, tout m'est dû. Nul besoin de poser à l'ingénu, de jouer la carte de la virginité ou de faire appel à leur expérience; il n'y a plus d'âge, il n'y a plus qu'un mâle et sa femelle.

Après la saillie, aucune culpabilité chez elles; des figures où se lisent reconnaissance, tendresse, docilité. Elles embrassent mes mains en pleurant de bonheur, s'extasient devant ma beauté, proclament leur amour. Mon désir leur a révélé la sauvagerie du leur, avec moi elles ont transgressé tous les interdits sociaux, la barrière des années, le tabou de l'inceste, et désormais elles m'appartiennent comme elles n'ont jamais appartenu à quiconque. Je n'aurai qu'à les regarder avec insistance pour qu'elles coulent, qu'à tendre l'index pour qu'elles se fendent, qu'à dire un mot pour qu'elles rampent. Les habite à présent la peur de me perdre. Et toute leur vie sera axée sur ces instants où je les ferai belles, jeunes, désirables. Femmes. Selon mon caprice du moment, elles seront timides et passives ou lubriques et entreprenantes. Elles consentiront sans la moindre hésitation à des actes auxquels aucun homme avant moi n'aurait jamais pu les forcer.

La première que j'ai prise, c'est la femme de l'alcoolique. Elle était depuis longtemps mûre pour la cueillette, et quand je l'ai voulue, tout s'est décidé en deux minutes silencieuses. À peine l'ai-je effleurée, que le délire s'est emparé d'elle. Rires et larmes simultanés. Elle s'est jetée à mon cou en criant qu'elle était mienne, que je pouvais en faire ce que je voulais, et, avant même que j'exprime un quelconque souhait, elle a déchiré sa blouse, arraché son soutien-gorge, s'est roulée par terre, s'est troussée. J'ai sursauté, un peu refroidi: presque du mauvais Corneille! Toutefois, son bassin me faisait signe avec obstination, et, sans autre forme de procès, j'ai bondi sur elle pour consommer avec une sorte de fureur mon premier coït. Puissance de ma verge qui la forçait et déchaînait des ardeurs trop longtemps retenues. Corps que je pétrissais avec rudesse, manœuvrais sans ménagement. J'ai fermé les yeux afin de voir mère subir mes assauts. Jouissance inhumaine!

La seule que je n'ai pas séduite de cette façon, c'est Mémé, une veuve trois fois grand-mère. J'ai le même âge qu'un de ses petits-fils; à cause de sa vieillesse et de son obésité, elle n'aurait pas cru à ce soi-disant désir par lequel je terrassais les autres. Cette fois, je devrais être la victime. Je voulais qu'elle imagine me séduire, m'initier. Ce serait facile, car pour elle j'avais ajouté à mon personnage une dimension de mal-aimé. Mon père me brutalisait parfois; ma mère me méprisait: j'étais «l'accident» qui avait gâché sa vie. Cette révélation de mes malheurs familiaux avait bouleversé Mémé qui se montrait enveloppante et cajolante, voulant me donner l'amour dont j'étais privé à la maison. Ne me restait qu'à dévoyer habilement cette affection.

Je suis beaucoup trop sensible et intuitif pour qu'on puisse rien me passer en fraude! J'avais perçu une émotion bien peu maternelle quand elle me serrait dans ses bras, caressait ma tête ou m'embrassait sur le front. Et des regards, aussi, que j'avais surpris, coulés vers certaines parties de mon corps. La découverte dans sa salle de bains d'un vibrateur de forme phallique confirma mes soupçons: la vieille dame était sous l'emprise d'une lubricité telle qu'elle n'en avait sans doute jamais connue durant sa vie matrimoniale, et qui s'épanouissait au dernier moment. Débauche crépusculaire... Un jour, je fus prêt pour elle. J'avais déjà visité plusieurs vagins, toutefois, je me fis une pureté et un pucelage tout neufs à lui sacrifier.

Un matin, j'arrive chez Mémé, l'air fourbu et triste. Elle s'inquiète. Après m'être fait prié, je raconte que mes parents se sont querellés toute la nuit, et qu'il m'a été impossible de fermer l'œil. Je rapporte les injures et les insanités qu'ils ont proférées. Elle est secouée. Pauvre petit! Adorable enfant! comment ose-t-on le rendre malheureux à ce point! Pas question que je travaille aujourd'hui. Elle me force à avaler un chocolat au lait et des tartines, puis me conduit à sa chambre. Elle va m'installer dans son lit où je dormirai tout mon soûl.

Alors qu'elle ouvre les draps, je retire ma chemise et mes chaussures. Elle m'observe du coin de l'œil, en proie à une curiosité un peu suspecte, bien que l'habite toujours une commisération sincère. Au tour du pantalon. Je n'ai rien dessous, et la vieille manque s'étouffer en voyant apparaître mon sexe. Elle regarde vite ailleurs, sans toutefois parvenir à cacher son émoi: ses mains tremblent sur les draps et ses prunelles brillent d'un éclat inaccoutumé.

Visite aux toilettes où je me caresse, retour dans la chambre, le pénis en érection. Les yeux de Mémé s'exorbitent, puis les paupières se mettent à battre d'une manière compulsive. Mines effarouchées. Elle lutte contre un démon intérieur, combat dont témoigne la crispation de ses traits. Simulant la confusion et l'inquiétude, je montre mon pénis en disant que je ne sais pas trop ce qui se passe. Et cela fait mal. À sa question pleine d'étonnement, je réponds que oui, c'est la première fois que ça se produit. Et en pressant mon scrotum, je répète que j'ai mal là.

Ça y est! Le diable qui la hante prend le contrôle de la vieillarde. D'une voix rauque, elle explique qu'il s'agit d'un phénomène tout à fait naturel signifiant que je deviens un homme, qu'il n'y a pas lieu de s'en faire, et, du même souffle, elle propose de me soigner. Une sorte de massage. Un filet de salive coule aux commissures de sa bouche légèrement tordue; je devine au prix de quel effort surhumain Mémé maintient un comportement en apparence normal. Elle me fait asseoir au bord du lit et, avec difficulté en raison de sa corpulence, s'agenouille devant moi. Jouant d'une main avec mes testicules, elle me masturbe de l'autre avec délicatesse. Je n'ai jamais fait ça? Non, mais je trouve ça bon.

Bandé au maximum, je me trémousse en geignant. Alors, Mémé perd la tête, enfouit son visage entre mes cuisses, frotte ses joues contre ma queue, hume mes aines, lèche ma raie. En même temps, elle se pâme devant mon instrument, affirme n'en avoir jamais vu d'aussi joli, déclare qu'elle le mangerait, qu'elle va le manger, dit de ne pas avoir peur, que je vais adorer ça. Elle l'aspire dans sa bouche, l'écrase entre sa langue et son palais, suce très fort; puis, elle le fait ressortir et le ravale, les lèvres arrondies en cul de poule sur le gland. Soupirs, gémissements, râles: je lui en donne pour son argent!

Avec les autres femmes, je ferme les yeux pour imaginer mère s'occupant de mon corps. Pas cette fois. Elle, la grand-mère d'habitude digne et tirée à quatre épingles, je la regarde se conduire comme une femelle dévergondée. Et je nous observe dans le miroir en pied; j'ai besoin de me voir, bel adolescent livré à la boulimie sexuelle d'une vieille obèse.

Une main dans sa robe, Mémé farfouille entre ses cuisses avec frénésie. Son emportement est tel qu'elle ne s'aperçoit pas que j'éjacule d'abondance. Finalement, elle rejette mon pénis ramolli, et tourne vers moi des yeux chavirés. Elle mord ses lèvres, ses joues se creusent, ses narines s'ouvrent et se ferment ainsi que l'évent d'une baleine; même bruit de soufflet.

Pour l'encourager à se branler, je dis à quel point j'ai aimé ce qu'elle m'a fait, que j'ai failli m'évanouir de plaisir. Son regard de bête folle! Une grimace déforme son visage, les fanons de son cou tremblotent, tout son corps vibre, elle meugle, puis soudain, elle se redresse et se raidit, électrocutée. Après quelques secondes, elle choit par en avant, la face sur mes cuisses. Son essoufflement se mue en sanglots. Elle se traite de tous les noms, s'accuse d'être une vicieuse, de m'avoir corrompu, me demande pardon, me supplie d'oublier, dit qu'il ne faut plus jamais nous revoir. J'affirme qu'au contraire elle a été magnifique, et je la remercie de m'avoir enseigné comment utiliser mon sexe. Ses pleurs redoublent.

Je m'étends. Elle se relève, le regard fixé sur la photographie de ses petits-enfants accrochée au mur près du lit. Oh! comme elle doit se sentir coupable! J'ai l'impression qu'elle souhaite par-dessus tout que je m'éclipse. Pour toujours. Mais je bâille et donne l'impression d'avoir sommeil. Son attention se reporte sur moi. Elle admire ma nudité et je détecte chez elle le remords et le désir. Mémé est juste au point d'équilibre, balance d'un côté, de l'autre. Elle va abandonner à jamais toute pratique sexuelle ou basculer dans une luxure débridée. Elle hésite, soupesant les implications du choix qu'elle va faire, alors que son sort ne dépend que de moi.

Je manipule mon pénis et adresse à Mémé une moue angélique: «Chaque soir je me toucherai en pensant à toi.» Son ventre se contracte brusquement comme si je l'avais frappée du poing; visage crispé, elle feint de ne pas comprendre. Je dis encore: «Je veux être ton amant.» Elle échappe un petit cri, et ses dentiers cliquettent. Je me branle en lui faisant des œillades langoureuses. Elle penche d'un côté, de l'autre, de plus en plus de l'autre! «Belle petite queue...» soupire-t-elle. En l'agitant dans sa direction, je réponds: «Elle est à toi, Mémé!» Cette fois, c'est une longue plainte qu'elle pousse. Elle est en déséquilibre... tombe. Du côté du sexe! Partie la culpabilité! Envolée la contrition! Ses yeux gourmands! Elle s'en promet... Ravie, elle promène ses mains et sa bouche sur toute ma peau, pour finir par un baiser sur mon pénis.

«Il faut dormir maintenant. Tantôt, je te le referai.» Je lui demande de se coucher avec moi. Son sourire se fige quand je précise que je la veux toute nue. Elle refuse catégoriquement: son corps est laid, fripé, et elle en a honte. J'insiste, affirmant que je n'ai jamais vu le corps d'une femme et que j'aimerais toucher le sien. Nous argumentons durant quelques minutes; elle cède finalement et tire le rideau afin de créer une pénombre qui atténuera sa gêne. Elle se déshabille à côté du lit; quand c'est fait, j'allume la lampe de chevet. Surprise, elle tente de se cacher avec ses mains et ses bras; rien à faire, mamelles et boudins débordent de part et d'autre. Elle est fâchée, et je débite mensonge sur mensonge afin de la calmer: je la trouve belle, je veux la voir sous tous les angles, l'embrasser partout comme elle m'a fait. Je dis «lécher, téter, sucer», et Mémé frisonne à mes mots. Lentement, elle écarte les bras, présente sa difformité à mes regards indiscrets.

Elle subit mon examen en affectant l'impassibilité, mais je la sens tendue, en attente d'un verdict. La minceur de son visage jure avec l'ampleur du corps; même chose pour les mains et les pieds qui pourraient être ceux d'une femme délicate. Me vient à l'esprit l'image de ces Vénus préhistoriques, déesses ou symboles de fertilité, dont la tête est minuscule en comparaison avec le reste de l'anatomie. Peut-être à cause de l'obésité qui efface les rides, le corps de Mémé donne une curieuse impression de jeunesse, peau lisse, pleine, d'un blanc presque laiteux, impression accentuée encore par l'absence de poils au pubis et aux aisselles.

Par contraste, le visage de vieille femme a l'air rapporté. Un masque. Celui d'une bonne et respectable grand-mère, membre d'un club de l'âge d'or, bénévole d'une œuvre de bienfaisance, qui la veille aurait fait donner une permanente à sa chevelure teinte en argent bleuté. Le corps, on l'imagine volontiers celui d'une femelle lubrique, d'une femme qui ne peut attirer les hommes qu'en se montrant outrageusement cochonne, et la dépravation qu'il suggère affole les sens, car il fait voir en sa laideur l'incarnation du vice. Mentons empilés, bras potelés, seins qui pendent, trop gros pour être flasques, tellement gonflés que les aréoles sont distendues à la dimension de soucoupes, pneus superposés à la taille, ventre qui retombe en tablier, hanches larges et boursouflées de cellulite, cuisses telles des jambons découennés qui montrent la couche de lard immaculée: difformité que je ne me lasse pas d'étudier, y lisant la promesse de jouissances inusitées, sinon aberrantes.

Son anxiété s'est accrue pendant que je la détaillais, et elle retient encore son souffle. Je rejette la couverture pour révéler un début d'érection. Le soulagement qui est sien! «Je peux te toucher partout?» dis-je avant de passer ma langue sur mes lèvres. «Tout ça est à toi!» répond-elle en prenant ses seins à pleines mains pour les secouer en riant, mouvements que répercutent les plis et les replis qui s'étagent des genoux aux mentons. Toute honte évanouie, Mémé retrousse son ventre pour exposer son sexe tellement gras que les lèvres ne saillent aucunement, la vulve réduite à une fente qu'on pourrait croire une ancienne cicatrice. La vieille se trémousse, danse avec des mimiques se voulant suggestives, et je m'esclaffe devant tant de burlesque.

Avec un cri joyeux, Mémé se jette sur le lit dont le sommier se lamente. Elle m'enserre dans ses bras. Je lui pétris les seins, embrasse sa bouche qui goûte encore mon sperme, lui suce l'oreille, promène ma langue dans son cou. Gloussements asthmatiques. D'un élan, elle se redresse et s'installe à quatre pattes au-dessus de moi; elle avance vers mon visage, son ventre roule sur mes cuisses, ses mamelles traînent sur ma poitrine. J'en agrippe une que je tire à ma bouche. Elle exclame: «Oui, oui, suce-les!» Et quand je prends le tétin entre mes dents, elle renâcle et hennit. «Oui, et pince l'autre. Fort!» J'y vais avec entrain, triture, étire, égratigne; mâchouille, mordille, croque.

Son fessier remue sans arrêt. Pour la faire tenir en place, je fourre un genou dans sa fourche. Ses cuisses prennent ma jambe en étau. Mémé astique sa vulve sur ma jambe lubrifiée par ses mouillures et débite des phrases de plus en plus incohérentes. Et soudain, à nouveau l'orgasme électrocuteur: beuglements, gesticulation désordonnées, cri bref, raideur. Elle retombe sur le côté, pantelante. La sueur sourd de ses pliures. Mâchoire décrochée, elle suffoque; ce n'est qu'au bout de plusieurs minutes qu'elle émerge progressivement de sa torpeur.

Me croyant ignorant de tout, elle entreprend de m'expliquer les choses de l'amour. Elle écarte les jambes afin que j'explore ce sexe qu'elle ne peut elle-même voir à cause de son ventre, nommant les parties à mesure que je les touche. Je pousse un index dans sa crevasse brûlante. L'index, puis l'annulaire et le majeur. Je les bouge, pianote dans le vagin. L'autre main s'active sur le clitoris dur et rouge. Mémé me fait placer tête-bêche et suce ma queue.

Je tripatouille un peu, m'occupe surtout à l'observer au travail. Noble visage de grand-mère penchée sur un corps de jeune adolescent qu'elle fellationne ainsi que la dernière des maries-salopes... Femme si distinguée de langage et de manières, qui gruge un pénis en bâfrant autant qu'une chienne gloutonne engouffrant sa pâtée... Cette vision m'excite au plus haut point. J'étire le cou pour nous voir dans la glace, de l'extérieur, comme si nous étions d'autres, ou mieux encore, comme nous verrait un observateur. Mère! Oh que j'aimerais qu'elle soit spectatrice. Qu'elle constate à quel expédient me condamne son refus, à quelle déchéance me force sa dérobade. Je me concentre sur la scène dans la glace, et mon regard devient celui de Nathalie.

Bien que je la travaille négligemment, Mémé est en route vers un autre orgasme. Elle demande grâce. «Arrête un peu. Tu vas me tuer. Laisse-moi souffler.» Je retire mes mains, elle ferme les yeux en comptant se reposer, cependant j'approche mon visage de son sexe. Coincé entre les cuisses énormes et la protubérance du ventre, il paraît tout petit et fragile; à nouveau cette impression de contempler une vulve impubère. «Je veux te sucer.» Grognement en guise de refus. Toutefois elle s'ouvre plus grand encore, et je passe ma langue entre ses lèvres. Lèche, lèche.

Bientôt, elle rue; je m'agrippe à ses fesses et ne me laisse pas désarçonner. Elle se tortille; je rampe à sa suite pour l'empêcher d'échapper à ma bouche impitoyable. Dans ma tête, l'image d'une lamproie abouchée à une carpe gigantesque! J'ai le désir cruel et souhaite la sucer jusqu'à ce qu'elle en crève. Alors qu'elle m'implore de cesser, je l'insulte intérieurement. Elle ne peut plus prononcer un mot. Elle vagit sans arrêt. Le hurlement ravalé qui marque son orgasme. Les masses gélatineuses s'affaissent. Silence, immobilité. Plus de réactions à mes lapements.

Je m'inquiète. Si elle était vraiment morte? Non, elle respire encore. En nage, aussi blanche que le drap, elle presse ses mains sur sa poitrine où le cœur cavalcade avec furie, un peu plus usé que ce matin. Incapable de parler, elle me fait néanmoins signe que tout va bien. Ce n'est rien, même pas un malaise, seulement besoin de repos. Moi aussi, d'ailleurs. Je me couche à côté d'elle. Flaire les doigts qui ont fouillé son sexe: relent de poissonnerie! Je songe au parfum si exquis de la vulve de mère, assez puissant pour que je puisse le détecter à un mètre, pourtant toujours léger et suave. L'odeur du cul de Mémé est lourde, visqueuse pour ainsi dire. Malgré la répulsion qu'il soulève en moi, à cause d'elle, je bande comme jamais.

Quand elle a repris des forces, la vieille en chaleur s'assoit sur mes cuisses. Yeux vitreux, joues écarlates, souffle court; une soif que rien n'a pouvoir d'étancher. Elle frotte l'intérieur de ses lèvres avec mon gland, puis le guide dans son vagin. Un cul si ample, si lâche, que je ne sens presque pas la pénétration. Mémé appuie ses mains de chaque côté de ma tête, me soulageant ainsi d'une partie de son poids. Son bassin monte et descend pour pomper ma sève. Ça clapote par en bas! Ses petites lèvres s'ébrouent sur la tige de mon membre, ses fesses claquent sur mes cuisses, son vagin gourmand gargouille, les jus baignent mes poils et ma poche.

Ses outres se balancent devant moi; on dirait deux trapézistes qui ne réussiraient jamais à se rejoindre. J'interviens pour les faire s'entrechoquer; accident sans conséquence: après un floc! sourd, les masses caoutchouteuses rebondissent et s'écartent, reprennent leurs oscillations régulières et synchronisées. Je recommence, les frappe plus énergiquement. Frappe, frappe. Tout le haut du corps tangue dans le balancement de ces lourds ballasts. Le jeu lui plaît, qui la stimule, et Mémé m'encourage à continuer. «Plus fort!»

Je tapote les seins avec une violence accrue, les soufflette, les gifle bientôt. Claques à paumes ouvertes, taloches du bout des doigts, crochets des poings fermés; les tétons me servent de *punching-balls*, et, excitée par cette brutalité, Mémé ne ménage plus ses transports. Je saisis ses mamelons et les tords de toute la force de mes poignets. À nouveau cette jouissance qui semble autant douleur que plaisir, n'apporte jamais d'apaisement, au contraire exaspère, entretient l'insatisfaction, en fin de compte galvanise les sens. Incomplet, on dirait, chaque orgasme appelle le suivant, mais la chair de la vieille n'est jamais repue.

Toute la journée, nous restons au lit. Elle ne peut rien me refuser, ni d'uriner devant moi dans un bassin, ni que je déplace des miroirs pour les rapprocher du lit. J'y contemple nos reflets; j'aime le contraste de nos corps, l'hideux et le sublime. La vue de ma dépravation et de mon avilissement me réjouit. Bien qu'on ne puisse pas parler d'initiation, elle me permet tout de même quelques expériences inédites. La sodomie, par exemple. Elle à quatre pattes sur le lit, moi debout dans la ruelle; je m'enfonce jusqu'aux testicules et lui ramone le rectum en déployant beaucoup de virilité. Du coin de l'œil, je surveille son visage en grimaces, tout en regardant la photographie de ses petits-enfants. Un grand bonheur de l'avoir ainsi poussée à cette débauche. Un vers de Baudelaire me trotte dans la tête: «la brute seule bande bien». Et, Dieu que je bande!

Mes maîtresses, je les visite après l'école et le samedi. Parfois en soirée. Je suis un gigolo à la petite semaine, aucune de mes baiseuses n'est riche. Cadeaux modestes, sommes dérisoires, mais grande compensation par ailleurs: le pouvoir. Je ne suis pas le jouet de ces femmes âgées, ainsi qu'on pourrait s'y attendre; au contraire, je les dirige comme des marionnettes.

Je les tiens en appétit, toujours en attente de plus. Toutes savent notre relation sans avenir, et je ne leur permet pas d'oublier que le rêve peut s'achever à tout moment. L'inquiétude, puissant aiguillon du plaisir. Leur soulagement de me retrouver, après que je sois resté deux semaines sans leur donner de nouvelles! Leur joie de m'avoir enfin un peu à elles, après que je me sois décommandé quatre jours d'affilée! Comme je sais les inciter à quémander un compliment, un mot doux, les amener à s'avilir dans l'espoir de m'attacher un peu plus à elles. Toutes, je leur fais goûter la rudesse de mon affection et la douceur de ma passion. Toutes, je les mène de la reconnaissance à la rancœur, de la détresse au bonheur. Sauf Mémé que je m'amuse à hisser au faîte de la concupiscence avant de la culbuter dans l'abîme de la contrition.

Aujourd'hui, à quatorze ans, je peux dire que personne ne connaît les femmes mieux que moi, ne possède aussi bien l'art de leur faire outrepasser leurs limites. Et ce savoir me permettra de dompter la seule qui compte à mes yeux.

Pour ça, j'aurai du travail! Mère continue d'amener ses flirts à la maison et ne semble pas près de s'amender. Elle va subir une ligature des trompes! J'ai appris également beaucoup d'autres choses sur son compte. Les positions qu'elle préfère, les caresses qui ont le don de la propulser aux nues, les paroles qu'elle répète en faisant l'amour. J'ai installé sous sa table de chevet un minuscule microphone-émetteur; le récepteur est dans ma chambre. Quand elle reçoit quelqu'un, je les écoute. Ce qu'ils disent avant, déclarations enflammées, compliments outranciers; les exclamations ridicules et les phrases insignifiantes durant l'acte; les râles et les borborygmes à l'instant de la jouissance; les confidences et les promesses murmurées ensuite sur l'oreiller.

J'entends tout et je souffre. J'enregistre parfois sur mon magnétophone, pour écoute ultérieure. Souffrir encore. Une crucifiante torture, mais je ne peux m'en empêcher. Les yeux clos, je me figure mère qui se soumet aux désirs grossiers de ses amants, qui caresse leurs corps en voie de se faner. Seule consolation, elle leur parle souvent de moi, ce qui les horripile, je le comprends à leurs grognements et expressions dubitatives. J'aime penser qu'en baisant, elle m'imagine à la place de l'homme, tout comme moi je lui fais l'amour à travers le corps d'autres femmes.

Le temps passe. Dans la cage de verre, c'est en minutes, au pire en heures qu'il se compte pour l'araignée; dans ma vie, les mois filent, qui me voient aux aguets, en attente du moment propice. Finalement, cela devient intenable, et je passe à l'action. Un soir, je rentre à dix heures sans avoir prévenu de mon retard. D'habitude, j'invente toujours une excuse quand je rencontre une de mes vieilles peaux durant la veillée. Mère m'accueille dans un silence glacial, les yeux rouges, l'air épouvanté. C'est bien. Je sais qu'en allant voir si j'étais dans ma chambre, elle a trouvé ce que j'y avais laissé à son intention... Un jour, j'ai apporté chez Mémé ma caméra polaroïd, et nous avons pris des clichés dans toutes les positions imaginables; deux jeux, un pour chacun. Elle pourrait se masturber avec son vibrateur en les admirant; moi, je les réservais à un autre usage.

Nathalie se contrôle à grand-peine, tremble en demandant pourquoi je rentre si tard, où j'étais. Sans perdre ma contenance, je réponds que je baisais. «Cette grosse vache?» s'écrie-t-elle en agitant devant moi une photographie qu'elle tire de la poche de son tablier. Sourire faussement navré: «On se contente de ce qu'on trouve...» Horrifiée, mère récite tout ce que j'avais prévu qu'elle dirait. Sa répulsion est infinie. Que je baise, oui, m'abaisse, non. Répugnant! Dégoûtant! Révoltant! Pour me faire honte, elle montre une à une les photos, décrivant chacune en détail et par des termes plutôt discourtois. Sans avoir besoin de la regarder! Je me doutais bien que, pendant l'attente, elle ne pourrait que revenir sans cesse à ces images, pour se convaincre qu'elles étaient bien réelles, pour les imprimer dans sa mémoire; et aussi, par une sorte de curiosité un peu perverse, de même façon que j'écoute ses séances de baise.

Là, Mémé à genoux pour la fellation. J'aggrave la blessure de mère en rigolant: «Elle avale!» Mémé à quatre pattes, que je sodomise. «Elle a l'anus étroit.» La plus terrible au yeux de Nathalie, c'est cette photo où la vieille me chevauche en tenant ses nichons à pleines mains; j'y parais petit, écrasé, menacé d'être à tout moment englouti sous une avalanche adipeuse. «Elle a un gros cul brûlant...» Mère tente de déchirer les photographies, n'y parvient pas et, de rage, me gifle. J'adore sa colère et son désespoir. Elle sait que c'est parce qu'elle se refuse à moi que je fornique avec cette «truie monstrueuse». Sans perdre mon calme, ce qui l'exaspère encore plus, je lui dis que ma vie sexuelle ne la concerne pas. Et puis, à propos de «monstre», certains de ses amants sont plutôt moches. Bedonnants, à moitié chauves, les jambes torses. Suffisants, en plus. «Mémé, au moins, est humble et reconnaissante!»

Elle gueule à s'en faire péter les veines du cou, me sert toutes les insultes qui lui viennent à l'esprit, m'interdit de comparer mes «turpitudes» à ses relations amoureuses, m'interdit de parler avec mépris de ses amis, m'interdit surtout de revoir cette femme abjecte. Elle pourrait la faire enfermer! Je promets. «Bof! si ça peut te faire plaisir... De toute façon, j'en ai d'autres. Moins vicieuses mais moins laides. Un peu plus jeunes.» Son ahurissement... D'autres! D'autres? Quel pervers suis-je donc? Avec un geste d'impuissance, je réplique: «C'est ton exemple que je suis. À force de t'écouter te faire sauter, c'était inévitable que je devienne...» Elle explose. Impossible! J'affirme qu'on l'entend dans toute la maison, sans doute aussi au dehors. Comme elle m'accuse d'inventer, de vouloir la rendre coupable de mes fautes, je cours chercher mon magnétophone; j'avais d'avance positionné la bande au bon endroit, réglé le son pour qu'il paraisse lointain, comme perçu à travers une cloison. «Encore, encore. Oui, oui, c'est bon. Ah! Ta grosse queue... Prends-moi encore!» Avec un hurlement, Nathalie m'arrache l'appareil et le lance par terre où il vole en éclats. En crise, elle se réfugie dans sa chambre.

Cet incident des photographies, dont nous ne reparlerons jamais, modifie nos rapports, transforme nos vies. Mère n'invite plus d'hommes à la maison; même qu'elle laisse tomber tous ses amis afin d'être plus présente auprès de son fils qu'elle espère «sauver», «réchapper» s'il est encore temps. De mon côté, je néglige mes amantes désormais inutiles, ce dont elle s'aperçoit et me sait gré. Sans doute pour me changer les idées et récompenser ma bonne conduite, et bien sûr parce qu'elle y trouve son compte, elle sort souvent avec moi. Cinéma, théâtre, concerts, restaurants. Un peu embarrassés au début, nous retrouvons vite cette tendresse et cette amitié qui nous comblent tous les deux, un amour qui ne dit pas son nom. Nos intelligences sont au même diapason, et mère m'avoue qu'il n'y a personne avec qui elle trouve tant de plaisir à échanger.

Et le sensualisme recommence à baigner nos vies. À quel point nous vibrons d'un effleurement des mains, d'un chaste baiser, d'un bref enlacement! La fierté maternelle se teinte à nouveau d'une certaine jalousie d'amoureuse. Sur la rue, elle me donne le bras pour affirmer aux autres femmes ses droits sur moi, signifier aux hommes son engagement. Je l'enveloppe de ma présence, la protège, la couve, aidé en cela par le fait que j'ai encore grandi et maintenant la dépasse de quelques centimètres. Peu à peu, elle en vient à me considérer son cavalier; bientôt, elle me verra comme son homme, puis son mâle. D'ailleurs, s'il n'est jamais fait mention des photographies, mère ne les a pas pour autant oubliées. Je le sais, à certaine façon qu'elle a de me regarder. Elle me revoit dans mes activités sexuelles avec cette vieille au physique ingrat; elle doit effacer de ses reconstitutions l'image de ma compagne afin de ne conserver que celle de ma resplendissante nudité. Peut-être même qu'elle se dessine à la place de Mémé recevant les hommages de ma virilité.

Mère replonge dans un bonheur qu'elle n'avait pas connu depuis longtemps, surtout pas ces derniers mois, alors qu'elle dérivait d'homme en homme, cherchant en vain ce qu'elle savait pourtant exister juste à côté d'elle. On dirait qu'elle accepte progressivement l'idée qu'elle ne peut atteindre sa plénitude qu'avec moi, par moi, et de là lui vient l'abandon. Je retrouve la Nathalie du voyage en Europe, l'amoureuse de l'automne dernier dont l'insouciance était conditionnelle à une complicité du silence. Aujourd'hui encore, la promiscuité ne peut s'installer qu'en vertu du même pacte tacite.

Un soir que nous rentrons d'un dîner dansant, soirée où chacun a pris l'exacte mesure du désir de l'autre, je l'enlace dans le vestibule. L'enlace? Il serait plus juste de dire que nous nous tombons dans les bras. Je l'embrasse en me frottant contre elle. Elle aussi se presse, écarte les cuisses pour accommoder les miennes. Ventre contre ventre. Durant une éternité, ma langue fouille sa bouche tandis que nos corps miment l'accouplement. L'excitation devient telle, que nous ne parvenons plus à respirer, et nos bouches se quittent à regret. Mes lèvres dans son cou; elle souffle dans mon oreille. Agrippant ses fesses, je la soulève afin que sa fourche s'appuie sur mon érection; elle enserre ma taille de ses jambes, croise ses pieds dans mes reins; je m'adosse au mur et la porte dans mes bras.

Nos sexes se caressent à travers quatre épaisseurs de tissu, et Nathalie module un chant d'une beauté qui surpasse tout ce que les autres ont réussi à tirer de son être, une mélodie aussi riche qu'une symphonie. Le temps n'existe plus, sinon dans ces saccades de nos corps qui tentent l'impossible pénétration. Coups de reins frénétiques pour ouvrir un chemin dans ma culotte; lutte de son bassin pour briser l'entrave du collant de nylon. Inutile, trop tard. Bouche à bouche: chacun recueille en lui le cri de l'autre. Yeux dans les yeux: chacun voit les ravages du plaisir en l'autre. Longtemps dans la même position, silencieux, frissonnants. Regards où point l'effarement à mesure que reflue la passion.

Je laisse ses pieds retomber au sol, nous nous écartons, rentrons. Pas un mot. Démarche incertaine. Je lui emboîte le pas. Jusque dans sa chambre? Elle ne protesterait pas, ou avec faiblesse, une supplication que j'étoufferais d'un baiser. Et elle serait à moi. Mais demain? après-demain? Je ne veux pas de regret en elle, ni remords ni culpabilité. J'attends donc qu'elle m'invite à partager sa couche. Non. Encore trop tôt. Il faut déjà qu'elle encaisse ce qui vient de se produire, l'assume, acceptant de la sorte l'étape suivante. Je l'embrasse sur la nuque et le «bonne nuit» qu'elle murmure sans se retourner est à peine audible.

Dans ma chambre, j'ouvre le récepteur et me mets à l'écoute de Nathalie. Silence. J'imagine qu'appuyée à la commode, elle se regarde dans la glace, ou bien que, debout au milieu de la place, elle se tient la tête à deux mains. Lamentations: «Mon Dieu... mon Dieu...» Grincements des ressorts du sommier. Assise au bord du lit, elle gémit. «Alain... Alain... Alain...» Appels, reproches, suppliques. Alain, je t'aime. Alain, je n'ai pas le droit de t'aimer. Alain, cesse de me désirer. Alain, délivre-moi du mal de toi. Alain, prends-moi et que le sort en soit jeté. Voilà ce que j'entends dans mon nom prononcé à trois reprises.

Souris qui lutte contre cette attirance incompréhensible qui la pousse vers l'araignée, y cède un instant, résiste encore, sent sa détermination s'amenuiser, mère ne voit pas encore avec netteté l'aboutissement du processus: non pas la destruction mais un bonheur où elle s'épanouira sans fin. Bonheur accessible à condition de rejeter l'image d'elle-même que le monde lui a imposée, ce que ce soir elle nommerait sans doute déchéance. Elle y consentira pourtant, ses tergiversations actuelles le prouvent.

Sanglots maternels dans l'oreiller: interminable déclaration d'amour devant laquelle je pleure moi aussi, de joie. Plus tard, le froufrou des vêtements qu'elle retire, le clic! de son flacon de calmants. L'insomnie, moi je l'accepte. J'irai tantôt m'asseoir dans sa chambre, veiller son sommeil en rêvant du moment où son lit deviendra *notre* couche.

Une autre fois mère m'échappe! Un sursaut d'énergie, une dernière bouffée de respect humain que doit encore consumer le désir. Il est comme ça des souris dont on peut croire qu'elles se faufileront toujours entre les pattes de Lucrèce. C'est méconnaître l'araignée qui ne dort jamais, malgré les apparences, qui prévoit où chaque bond amènera la proie.

Au lendemain de notre étreinte dans le vestibule, Nathalie redevient mère, exclusivement mère, une mère plutôt réservée, se détournant de son fils en qui elle ne peut s'empêcher de voir un homme, objet d'amour. Aucun reproche de ma part, qu'un simulacre de distanciation. Je la laisse filer: son chemin de fuite n'est qu'un chemin de ronde. Tour de garde inutile, l'ennemi ayant déjà investi la citadelle. Au bout d'une semaine, on dirait une bête aux abois. Même qu'un peu plus tard, elle se fait un nouvel ami pour tenter de conjurer le charme qui la lie à moi.

Elle n'en a pas parlé au début, ne l'a pas non plus invité à la maison; j'ai appris son existence en interceptant des appels téléphoniques. Des lettres que j'ai lues m'ont apporté confirmation que mère vit une histoire de cœur. Ou plutôt, *voudrait* en vivre une, se le fait accroire. Ces rendez-vous d'affaires, ces réunions dont elle ne rentre qu'au petit matin, c'est lui. Ils baisent dans son appartement ou à l'hôtel, à moins qu'ils n'en soient pas encore rendus à la chose, ce qui me surprendrait car elle doit mettre tout en œuvre pour m'oublier.

Il s'écoule bien un mois avant que mère ne fasse mention de sa relation avec ce Charles. Je le rencontre d'abord quand il vient la chercher pour une sortie. Approche cette fois prudente: ce n'est que quelques semaines plus tard qu'il dîne une première fois à la maison, repartant en fin de soirée. Cela demande plus de deux mois avant qu'il ne couche chez nous, et il s'esquive avant l'aube. Mère redoute tellement que je capte la rumeur de leurs ébats, qu'elle murmure à peine quand ils sont au lit et enjoint son amant de parler moins fort, de retenir ses exclamations de plaisir. Il me faut pousser le récepteur au maximum pour capter leur propos.

Un type sympathique, en autant que peut l'être quelqu'un qui me vole ma promise! Il se révèle légèrement possessif, sans doute par inquiétude et insécurité, et tellement puéril quand il insiste pour qu'elle dise qu'il fait «ça» mieux que les autres, qu'elle n'a jamais joui autant qu'avec lui. Elle le répète, et chaque fois, au lieu de se rassurer, il est blessé qu'elle évoque ainsi ses prédécesseurs! Il aurait voulu être le premier... Il me fait rire!

On pourrait croire que je tolère bien cette nouvelle liaison de mère, cependant elle m'agace de plus en plus. M'inquiète le fait que Charles soit le seul homme qu'elle fréquente. Elle ne l'aime pas, je le sais, mais cela pourrait venir. Existe déjà chez elle un attachement certain. N'ont-ils pas passé les fêtes ensemble en Martinique? C'est vrai que j'avais refusé de les accompagner... Parfois je m'énerve et m'en veux de n'être pas passé à l'acte après avoir émoustillé Nathalie dans le vestibule. Si j'avais commis une erreur de calcul? Après tout, mon instinct n'égale pas celui d'une araignée. Me faut agir vite, faire diversion, provoquer les événements.

Un soir que Nathalie ne doit rentrer que fort tard, je descends en ville. Rue Sainte-Catherine, j'aborde une fille qui fait le trottoir. La vingtaine fatiguée. C'est sa vulgarité qui me décide à la choisir parmi les prostituées qui fraient dans le coin. D'abord, elle me rabroue en raison de mon jeune âge. Cependant, quand je lui propose cent cinquante dollars pour passer la nuit avec moi sous le toit familial d'où les parents sont absents, elle se montre intéressée. La vue des billets de banque la convainc. Elle s'imagine qu'elle va m'initier; c'est étonnant comme les femmes sont sensibles à cette idée! Impressionnée par le quartier et le luxe de la maison, elle n'en continue pas moins de mâcher son chewing-gum en se dévêtant. Pour la crédibilité de mon histoire, je dois lui faire l'amour, ce qui n'est pas pour me déplaire après des mois de continence. Et ce corps tout en os et en muscles me change des vieux jambons.

Le matin suivant, mère échappe un cri lorsqu'elle découvre aux toilettes la fille qui pisse en chiquant sa gomme. Nathalie en reste ensuite muette d'étonnement; l'autre lui dit de sa voix grasseyante: «Salut! T'es sa mère? Aie, ton gars, y pourrait en montrer à bien des hommes!» Mère rapplique dans ma chambre, l'œil injecté de sang, et demande des explications. Avec un haussement d'épaules, je réponds: «Une pute...» Elle exige que je la chasse sur-le-champ, à quoi je rétorque que ça ne se fait pas, qu'elle va déjeuner avec nous... comme Charles. «En allant au bureau, tu pourrais peut-être la ramener en ville?»

Nathalie s'empourpre mais n'a pas le temps de répondre; la fille arrive, toujours nue comme un ver, et saute dans mon lit en riant: «Encore une petite vite? Gratuite, celle-là!» Mère l'attrape par un de ses bras maigre et la tire hors du lit: «Habillez-vous et partez!» La fille rigole: «Jalouse? Ben, je le mangerai pas, ton gars...» Exaspérée, mère s'en va et je fais signe à la fille de se vêtir. Jeans moulant, bottes mauves, blouson de satin d'un jaune criard. Nathalie revient sur ces entrefaites et remet à mon invitée deux billets de vingt dollars: «Voici pour le taxi, qui est déjà en route, et voici pour le petit déjeuner au restaurant.» Et prestement, elle fiche dehors la prostituée qui rigole de bon cœur.

La tête couchée sur ses bras repliés, mère est attablée dans la cuisine. Mon arrivée déclenche l'orage. Sa hargne trahit une grande souffrance. Une pute! Vulgaire comme tout. Et les maladies vénériennes? Pourquoi je ne fréquente pas les filles de mon âge? Des vieilles, des obèses, des prostituées! Suis-je un monstre de perversion? Qu'est-ce que je cherche? Je relève son visage en lui tenant le menton et, les yeux tout près des siens, je lâche d'une voix impérative: «Tu ne comprends pas que c'est pour tuer le désir? Mon désir de *toi*!» Et je retourne vite à ma chambre afin de ne pas être témoin du désastre.

Elle en sera malade durant plusieurs jours. Mais elle n'aura pas besoin de ruser pour m'éviter, car demain je m'absente pour deux semaines. Une classe de neige organisée par le collège. Coïncidence providentielle? Non, j'avais tenu compte de ce départ en engageant une fille de joie. Mère aura tout le loisir de se torturer les méninges, d'analyser mon geste, d'étudier sous toutes les coutures sa propre réaction, en un mot, de mijoter dans son jus. Il faudra bien qu'elle tire la conclusion qui s'impose: son refus de notre amour nous condamne tous les deux à l'enfer. Je m'arrange pour ne pas la croiser en filant à l'école, et quand je rentre, un message m'apprend qu'elle passe la soirée chez ses parents. Tiens, tiens... Besoin de retourner aux symboles premiers de la loi et de la tradition: elle est plus affectée que je ne pensais!

Son soupirant téléphone. Je réponds que mère est sortie et, comme il m'exaspère en insistant pour savoir où elle est allée, je raconte qu'elle voyait un ami. Un ami? Il s'étonne: c'est *lui* son ami! Je m'esclaffe: «Si tu t'imagines être le seul...» Panique au bout du fil; il m'interroge, je joue celui qui en sait long mais ne veut pas parler. Il tempête, il supplie; il a le droit de savoir, il faut qu'il sache. J'argue que je ne peux trahir ma mère; il abandonne toute dignité, confesse sa possessivité, m'avoue sa souffrance, en appelle à la solidarité masculine, jure que cela restera entre nous. Je veux bien répondre par oui ou non à ses questions. Elle voit d'autres hommes? Oui. Des... amants? Oui. Combien? ... Souvent? Oui. Depuis longtemps? Oui. Je les connais? ils viennent à la maison? Oui. Voix étranglée: «Tu lui diras que c'est fini entre nous, que je ne veux plus entendre parler d'elle. Jamais.» Il raccroche avant que j'aie pu lui répliquer de faire ses commissions lui-même.

Abandonnée par l'amoureux, délaissée par le fils, mère se retrouve dans une totale solitude durant les quinze jours suivants. Et à mon retour, je prolonge le calvaire. Elle m'attendait avec impatience, croyant que suffisamment de temps avait passé pour qu'on recommence en neuf, qu'on reprenne l'amitié comme si de rien n'était. Minée par le chagrin, elle tente des manœuvres de rapprochement auxquelles je réponds par l'indifférence. Elle m'annonce que machin a rompu sans raison. Moue désabusée, ton ironique: «Qu'est-ce que t'espérais avec Charles, le *Grand Amour*? Tu sais où le trouver...» Elle décode le sous-entendu et baisse piteusement la tête. Je m'éloigne, me montrant peu intéressé à son sort.

Des semaines durant, je me tiens à distance, insensible à ses initiatives pour renouer avec moi. Elle a besoin de se confier et sait que je pourrais la comprendre, soulager ses maux, faire renaître sa joie, lui redonner une béate insouciance. Cependant, elle voudrait tout ça gratuitement; reconquérir mon amitié sans nourrir mon désir, sans dévoiler le sien. La quadrature du cercle! Elle n'ignore point que je ne répondrai désormais qu'à une parole d'amour, parole qu'elle n'est pas encore prête à donner. Qu'elle se morfonde donc pour apprendre!

Ma froideur, elle l'attribue à la déception amoureuse. Si elle se doutait qu'au fond de moi je jubile, plus que jamais assuré d'un dénouement heureux de notre histoire! Hésitante, ouvrant la bouche pour ne rien dire, le regard qui m'effleure puis me fuit, elle tourne autour de moi comme la souris épuisée qui se demande si elle ne trouverait pas dans les pattes de l'araignée le repos, la fin de son tourment. Mère a conscience que de toute façon elle perd son fils, qu'il devienne ou non son amant.

Au fil des jours, je la vois chancelante, victime d'un ennui mortel, sous l'emprise grandissante d'un besoin de moi d'autant plus obsédant que je me refuse à elle. Elle s'avance et se dérobe, passe de la prostration à l'exubérance, tour à tour câline ou agressive. Puis, sous l'effet du désarroi, sans plus de retenue elle déploie ses charmes, se livre à la coquetterie, use des armes de la séduction. Dans un tel contexte, il suffirait que je fasse une avance... Non! Mère, tu m'appâtes sans m'appeler. Parle! Parle en premier, pour que jusqu'à la fin de nos jours tu te souviennes m'avoir choisi. Le bonheur ineffable, tu le sais à portée de ta main; mon impassibilité, tu n'en es pas dupe. J'ai rompu avec toutes mes maîtresses, dorénavant je n'aurai de femme que toi. J'attends de tes lèvres le mot qui nous unira à jamais. J'ai tout mon temps. Je ne souffre pas vraiment; toi, si.

Puis un jour, stupéfaction! Je vois Nathalie souriante et détendue, qui n'escompte plus rien de moi. Un changement radical et subit. Elle a rencontré quelqu'un, c'est sûr! La passion instantanée! Pour moi, un tourment tout aussi immédiat. Par ma faute. Je l'ai maintenue trop longtemps dans cet état de désespérance qui en faisait une proie facile pour le premier flagorneur venu. En fait de beau parleur, il s'agit plutôt d'une grande gueule. Mère n'avait plus sa tête à elle, car c'est le pire du lot: fat, prétentieux, hâbleur, mal éduqué et, comble de l'ironie, laid! Dès sa première visite, il inspecte la maison d'un œil critique et, au bout d'une heure, s'y promène comme chez lui, se permet des remarques sur tout, la décoration intérieure, l'habillement de mère, le rosbif trop saignant à son goût. Même sur ma présence! Je le rabroue aussi sec, et nous échangeons de sains regards de haine.

Le jour suivant, il est encore là dans ses habits d'un mauvais goût consommé. Son air chafouin ne me dit rien qui vaille; agacement suprême de l'entendre se vanter sans cesse, étaler son manque de savoir-vivre et de culture. Et mère, obnubilée, béate d'admiration, gobe tout, approuve sottement les fadaises qu'il débite sans répit, court ventre à terre pour satisfaire ses moindres caprices exprimés sous forme d'ordres. Avec moi, ça ne prend pas; quand il me dit «lave la vaisselle, ta mère et moi on a à parler», je lui réplique d'aller se faire foutre. Je le déteste, et c'est réciproque. Il se rend compte à mes sourires moqueurs et à mes hochements de tête apitoyés, que je ne prête pas foi à son personnage.

Le troisième jour, je le trouve au salon en rentrant de l'école. Pourtant, mère est encore au travail... Alors, il me montre la clef avec un petit air de triomphe. Non mais, elle est cinglée! Je m'assois et le regarde en silence, lui faisant sentir tout le mépris que je lui voue. De plus en plus mal à l'aise, il me demande ce que j'ai à l'épier ainsi. Je réponds que je surveille l'argenterie. Il contient avec peine sa rage. En faisant craquer ses jointures, il menace: «Quand je serai...» J'éclate de rire. «Mon beau-père? Tu vas me mettre au pas? Ça prendrait autre chose qu'un minus de ton espèce!» À partir de ce moment, c'est la guerre ouverte.

J'en viens à comprendre pourquoi mère s'est entichée de ce type au point de ne pas voir sa petitesse pourtant évidente. Il dit les mots qu'elle attendait, lui donne le sentiment d'avoir enfin atteint un but qu'elle aurait poursuivi depuis sa naissance, le sentiment qu'elle est hors d'atteinte de la vie comme de la mort parce qu'il a tout pris en main. Il parle, il parle, il parle, et ces mots la rassurent, la bercent, l'endorment. Il fait table rase du passé, abolit les règles auxquelles mère était astreinte, et elle a l'impression de commencer à vivre, de découvrir la liberté.

À la vérité, il impose sa propre loi à laquelle elle s'abandonne totalement, ce qui fait qu'elle jouit comme une folle. Il répète des phrases éculées, sans doute entendues au cinéma ou lues dans des photo-romans, des déclarations d'amour toutes faites, et elle méprend cette pacotille pour de purs diamants: il l'aime comme on ne l'a jamais aimée! Au bout de quelques jours, je constate qu'il ânonne sans discontinuer les mêmes insipides platitudes; pour mère, c'est toujours neuf et sublime. À la limite, il pourrait répéter des suites de syllabes n'ayant aucun sens; c'est à la musique qui naît *en elle* que Nathalie est sensible. Elle fait tout le travail; son rôle à lui se résume à celui de catalyseur.

Impossible d'ouvrir les yeux de Nathalie. Il la maintient dans un état de paralysie intellectuelle où aucun argument raisonnable ne peut l'atteindre: je me trompe, je suis injuste et jaloux, je ne veux pas le comprendre. Comment me débarrasser de ce malappris? Je le devine imperméable aux manœuvres qui ont déjà réussi avec d'autres, car veule et dépourvu de tout orgueil véritable. Rien que de la fierté, c'est-à-dire du vent. Ah... si Lucrèce était dressée pour l'attaque comme un chien policier! Ou si je pouvais extraire son venin et l'injecter à ce salaud...

Je me tiens donc à l'affût, attendant qu'il commette une faute qui me révèle le défaut de sa cuirasse. De prime abord, il semble invulnérable. Très fort, en tout cas. Il exige toujours plus de mère, dans tous les domaines, et quand elle a accédé à ce qu'autrefois elle aurait trouvé inacceptable, il la force un peu plus. Toujours dépasser un tantinet la limite. De la sorte, il la dépouille progressivement de sa volonté, diminue son jugement et, par des manœuvres insidieuses, s'installe de plus en plus dans sa vie. Un véritable pervers! Bientôt, elle ne fait plus rien sans solliciter l'avis et les conseils de son amant, quasiment sa permission.

Très intéressant de l'écouter, cet homme, surtout dans les monologues qui suivent la baise. Des détails infimes, des mots en apparence anodins m'indiquent qu'il se voit déjà marié avec elle, maître à bord. J'avais raison de me méfier! Il s'intéresse beaucoup à notre situation financière, fait parler mère sur le sujet, glisse des allusions fréquentes à la fortune laissée par son défunt mari, affirme qu'il est ridicule que pareille somme croupisse à la banque, qu'il va lui trouver de bons placements, des placements sûrs qui feront doubler son capital en un an. Deux, au maximum. Mère ne réalise aucunement l'intérêt mercantile de ce vautour, ce qui ne m'étonne pas; je le sais d'expérience, les femmes amoureuses n'écoutent que ce qui leur plaît, interprètent tout dans un sens favorable à leur passion.

Le patron de l'agence de détectives me détaille d'un œil soupçonneux. Je tente de l'apitoyer: un escroc essaie de filouter ma mère, j'en ai la conviction; elle ne s'en rend pas compte, et je n'ai personne à qui demander de l'aide. Il hoche négativement la tête, arguant que je suis trop jeune pour qu'il traite avec moi. J'ouvre mon carnet de banque sous son nez: «Si vous faites la fine bouche, il y a d'autres agences qui ne refuseront pas mon argent.» Comme je me lève, il me fait signe de me rasseoir.

— Ce n'est pas parce qu'on déteste son futur beau-père qu'il faut faire tant d'histoires. Qu'est-ce que tu veux au juste, qu'on l'enlève et le fasse disparaître?

Il se paie ma tête, cependant je ne me trouble pas:

— Je veux tout savoir sur lui. Fouillez son passé.

— Tu crois que ça t'avancerais?

— Cherchez bien. Tout le monde a quelque chose à se reprocher.

Il m'accuse de cynisme mais concède que j'ai raison. Nous tombons d'accord; il me fournira ce qu'il appelle un «certificat de moralité» contre paiement en espèces.

Ça s'est fait à notre insu. Il transportait petit à petit ses effets personnels, et un jour il a bien fallu se rendre à l'évidence: le rustre habitait avec nous! Présence qui m'horripile à l'extrême; mère en est consciente, ce qui la rend gauche avec moi. Pauvre elle, qui tente de nous apprivoiser l'un à l'autre! Il n'a pas l'esprit de repartie. Quand, par exemple, je m'étonne qu'il ne travaille pas et demande au crochet de qui il vit, il reste interdit et finit par marmonner un juron. Mère souffre que je rabaisse ainsi son amant, le rabroue ou le mette en boîte, fasse ressortir les contradictions de ses propos. Elle me supplie de le ménager, et chaque fois je lui dis: «Ouvre-toi les yeux, bon sang! C'est un pauvre type, un goujat, rien de moins qu'un parasite.» Elle repart, la mine déconfite.

«Vous avez du flair, vous!» s'exclame le détective d'un ton admiratif. Et il me lit son rapport sur mon «beau-père»: trois mariages à des femmes riches qui ont investi dans ses compagnies, trois faillites, trois divorces. La dernière faillite a fait l'objet d'une enquête des autorités qui n'ont pas réussi à prouver la fraude. Rayonnant, je réponds que la présomption me suffit. Et je repars de l'agence avec un exaltant sentiment de richesse. Dans ma chambre, j'épluche longuement le dossier afin de connaître l'histoire sur le bout des doigts. Ainsi armé, j'attends l'occasion de frapper un grand coup.

Elle se présente quelques jours plus tard, au dîner, alors que notre «hôte» se mêle de ma vie privée en décrétant que je devrais aller étudier dans un collège aux États-Unis. «Intéressant, ce que tu dis là. Attends...» Et je cours chercher le dossier. Il sourit béatement: se pourrait-il qu'il soit tombé par hasard sur un projet que je caressais? Ces papiers que je rapporte, des informations sur des collèges américains? D'une voix mielleuse, qui détonne avec la nature de mes propos: «Que j'aille étudier aux États-Unis? Ça t'arrangerait, hein, que je m'éloigne? Tu aurais beau jeu pour escroquer ma mère à ta guise avant de l'abandonner sans le sou. Comme tu l'as déjà fait à trois femmes déjà!»

Et tranquillement, je raconte les péripéties de son passé devant deux auditeurs sidérés, muets, lui de rage incrédule, elle d'effroi. Lieux, dates, noms, sommes. Ensuite, d'un geste théâtral, je jette le dossier ouvert sur la table, montre la porte et ordonne: «Dehors! Dehors!» Les yeux vides, mère s'agrippe au bord de la table car son univers se disloque. Lui ne trouve rien de mieux que: «Il a engagé des détectives! Des détectives! C'est un fou, un maniaque!» Livide, la voix éraillée tellement l'effort pour se contrôler est grand, mère lui demande de partir et, avec beaucoup de dignité, s'en va elle-même à sa chambre. Il la suit, lui commande d'ouvrir; il peut tout expliquer, ce dossier est un tissu de mensonges. Pas de réponse; il jure de son amour, supplie, menace.

Je descends au sous-sol, m'arme du fusil de calibre 12 qui appartenait au mari de Nathalie et revient mettre l'escroc en joue. «On t'a dit de ficher le camp. Ramasse tes guenilles et fais de l'air!» Il ricane d'abord puis, devant la cruauté de mon regard, s'apeure. «Oui, tu as raison de trembler. Tu sais que je te liquiderais sans hésiter. Je suis un maniaque, tu l'as dit! Et je me tirerais bien d'affaire; mon jeune âge... ton passé... J'inventerais: chantage, menaces de mort. Mère dirait comme moi pour sauver ma peau.» Il est vert de trouille, rassemble en vitesse quelques effets et s'apprête à sortir. «La clé!» Il la lance à mes pieds et, juste avant de claquer la porte, beugle: «Malade! Va te faire soigner!» Je ris à gorge déployée, grisé par mon triomphe. Avec quel style j'ai écrasé ce misérable vermisseau! Il ne faisait pas le poids; un criquet affrontant une tarentule!

C'était le dernier saut de mère, celui à l'occasion duquel la souris découvre qu'il y a un grillage sur l'aquarium. En rangeant l'arme, je contemple les caisses qui contiennent les objets personnels du défunt mari, et songe qu'il y aura bientôt deux ans. Il serait grand temps de jeter tout ça. Je m'en occuperai sous peu. Après la noce.

Je frappe à *notre* chambre. Un hurlement: «Je t'ai dis de partir!»

— C'est moi. Alain. Ouvre.

— Laisse-moi.

— Ouvre!

J'ai crié à tue-tête en réponse à sa voix suppliante. Elle obéit. Son beau visage défait par les larmes. Elle se précipite sur moi. «Je suis si malheureuse, si malheureuse...» Je devine quelle douleur vrillante la transperce jusqu'à l'âme. Catastrophe dont je me sais responsable, car sans en être la cause je m'en suis fait l'agent. Je voudrais communier à sa peine, n'y parviens pas, persuadé que je lui épargne pour l'avenir des souffrances plus grandes encore, convaincu que son drame se révélera ultérieurement une étape vers le bonheur véritable.

Tout se désagrège, tout croule, plus rien à quoi se raccrocher. Si, moi. Et je l'enserre dans mes bras, caresse son dos. Elle hoquète un long moment et, ensuite, profitant d'une accalmie, se dégage de mon étreinte pour donner libre cours à sa rage et à sa colère. Quand elle a vidé son sac, elle conclut: «Par chance, tu étais là...» Je réponds qu'elle n'a pas à s'en faire, je serai toujours là. Elle opine du chef en essayant de sourire, n'y parvient pas. «Qu'est-ce que je vais devenir? Tout est fini!» À nouveau, elle s'effondre dans mes bras. Ne rien dire, être simplement la bouée qui l'incite à ne pas se laisser sombrer dans l'abîme.

À la crise succède une nouvelle explosion de fureur, ponctuée de jurons et d'injures à l'adresse de l'infâme truand, et qui se termine par une auto-critique: «Quelle idiote j'ai été. Aveugle et sourde, plus naïve que la dernière des demeurées. On ne m'y reprendra pas de sitôt! Aussi bien rester seule jusqu'à la fin de mes jours!»

— Tu n'es pas seule...

Un pauvre sourire:

— C'est vrai, je t'ai... mon grand.

— Et moi, je ne t'abandonnerai jamais; moi, je ne te trahirai pas; moi, je saurai t'aimer comme tu le mérites.

Les émotions se bousculent dans son regard ainsi que les formes colorées dans un kaléidoscope qui pivote. Espoir fou, joie fragile, regret du temps perdu, abandon à ce qui monte en elle. Elle fait un pas vers moi; je sais que par lui elle enjambe la frontière, outrepasse les interdits. Ses yeux s'illuminent, elle me tend les bras: «Aime-moi...» L'appel au secours que j'attendais! Cette fois, je la repêche. Sa tête sur mon épaule. «Alain... Oh Alain! J'ai si mal, si mal.»

— C'est fini, c'est fini. Là... Pleure encore un peu, ça va te faire du bien. Ensuite...

Je la porte au lit, me couche à côté d'elle qui cache son visage dans mon cou. C'est ça, pleure petite mère, pleure. Il est bon que tu souffres afin de toujours te rappeler combien les hommes ont pu te blesser. Pleure, je respecterai ta peine et n'instillerai pas tout de suite l'oubli en toi; savoure-la cette amertume, car elle s'envolera vite. Tu oublieras cet être méprisable. Ses mots, les miens les surpasseront mille fois; ses gestes paraîtront dérisoires à côté de mes gestes. Les pauvres jouissances qu'il pouvait te procurer pâliront devant la fulgurance des orgasmes que tu connaîtras sous mon corps. Petite princesse, tu apprendras ce que c'est que d'être aimée vraiment, et tu t'étonneras d'avoir pu vivre tant d'années dans la privation d'un tel bonheur. Tu retrouveras le plaisir divin d'enlacer ta propre chair, éprouveras le vertige de la fusion sans limite. Tu ne voudras plus te passer de moi et n'auras pas à le faire. Je suis à toi comme tu es à moi. Tu es moi comme je suis toi.

Pleure encore un peu, petite mère, tes larmes sont l'échelle du paradis. Vide-toi du mal, des autres, du passé; je te remplirai de moi pour que tu puisses te rencontrer. Te revoici fragile et sans défense, comme après la mort du fils de mon grand-père. À l'époque je n'ai pas compris que la douleur était la voie royale qui te menait à moi, le passeur qui pouvait te faire franchir le no man's land d'une morale archaïque autant que périmée; aujourd'hui, je saurai briser les dernières entraves, te guider où tu as toujours voulu aller. Tu as dit la formule magique qu'il fallait. «Aime-moi...» Aime-moi comme aucun autre homme ne pourrait m'aimer, totalement, exclusivement; fais-moi t'aimer comme je ne savais pas que je pouvais aimer.

Pleure, mère chérie. N'aie crainte, je suis là qui veille. Mes bras velus t'enveloppent, rien ni personne ne peut plus t'atteindre. Tu as fini de courir, fini de fuir; ton sort va enfin s'accorder au secret dessein de ton cœur. Ma bouche sur le pelage blanc et soyeux de ton cou... Endors-toi en paix, l'ancien monde s'éteint avec ta conscience. Tantôt, au mitan de la nuit, je te réveillerai dans un univers dont tu ne soupçonnais pas l'existence.

TABLE

éditions LES HERBES ROUGES
titres disponibles

André Beaudet, *Littérature l'imposture*
Germaine Beaulieu, *Sortie d'elle(s) mutante*
Claude Beausoleil, *Avatars du trait*
Claude Beausoleil, *Motilité*
Louise Bouchard, *Les Images*
Nicole Brossard, *La Partie pour le tout*
Nicole Brossard, *Journal intime*
Paul Chamberland, *Genèses*
François Charron, *Persister et se maintenir dans les vertiges de la terre qui demeurent sans fin*
François Charron, *Interventions politiques*
François Charron, *Pirouette par hasard poésie*
François Charron, *Peinture automatiste* précédé de *Qui parle dans la théorie?*
François Charron, *1980*
François Charron, *Je suis ce que je suis*
François Charron, *François*
François Charron, *Le Fait de vivre ou d'avoir vécu*
Hugues Corriveau, *Forcément dans la tête*
Hugues Corriveau, Normand de Bellefeuille, *À double sens*
Hugues Corriveau, *Mobiles*
Normand de Bellefeuille, Roger Des Roches, *Pourvu que ça ait mon nom*
Normand de Bellefeuille, *Le Livre du devoir*
Normand de Bellefeuille, *Lascaux*
Normand de Bellefeuille, Hugues Corriveau, *À double sens*
Normand de Bellefeuille, *Heureusement, ici il y a la guerre*
Michael Delisle, *Fontainebleau*
Roger Des Roches, *Corps accessoires*
Roger Des Roches, *L'Enfance d'yeux* suivi de *Interstice*
Roger Des Roches, *Autour de Françoise Sagan indélébile*
Roger Des Roches, *«Tous, corps accessoires...»*
Roger Des Roches, Normand de Bellefeuille, *Pourvu que ça ait mon nom*
Roger Des Roches, *L'Imagination laïque*
Roger Des Roches, *Le Soleil tourne autour de la Terre*
France Ducasse, *La Double vie de Léonce et Léonil*
Raoul Duguay, *Ruts*
Raoul Duguay, *Or le cycle du sang dure donc*
Lucien Francoeur, *Les Grands Spectacles*

Huguette Gaulin, *Lecture en vélocipède*
André Gervais, *Hom storm grom* suivi de
Pré prisme aire urgence
Marcel Labine, *Papiers d'épidémie*
Monique LaRue, *La Cohorte fictive*
Roger Magini, *Saint Cooperblack*
Carole Massé, *Dieu*
Carole Massé, *L'Existence*
Carole Massé, *Nobody*
Carole Massé, *Hommes*
André Roy, *L'Espace de voir*
André Roy, *En image de ça*
André Roy, *Les Passions du samedi*
André Roy, *Les Sept Jours de la jouissance*
André Roy, *Action Writing*
Patrick Straram le bison ravi, *one + one Cinémarx & Rolling Stones*
France Théoret, *Une voix pour Odile*
France Théoret, *Nous parlerons comme on écrit*
France Théoret, *Entre raison et déraison*
Laurent-Michel Vacher, *Pour un matérialisme vulgaire*
Yolande Villemaire, *La Vie en prose*
Yolande Villemaire, *Ange Amazone*
Yolande Villemaire, *Belles de nuit*
Josée Yvon, *Travesties-kamikaze*

COLLECTION DE POCHE TYPO

1. Gilles Hénault, *Signaux pour les voyants*, poésie, préface de Jacques Brault (l'Hexagone)
2. Yolande Villemaire, *La vie en prose*, roman (Les Herbes Rouges)
3. Paul Chamberland, *Terre Québec* suivi de *L'afficheur hurle*, de *L'inavouable* et d'*Autres poèmes*, poésie, préface d'André Brochu (l'Hexagone)
4. Jean-Guy Pilon, *Comme eau retenue*, poésie, préface de Roger Chamberland (l'Hexagone)
5. Marcel Godin, *La cruauté des faibles*, nouvelles (Les Herbes Rouges)
6. Claude Jasmin, *Pleure pas, Germaine*, roman, préface de Gérald Godin (l'Hexagone)
7. Laurent Mailhot, Pierre Nepveu, *La poésie québécoise*, anthologie (l'Hexagone)
8. André-G. Bourassa, *Surréalisme et littérature québécoise*, essai (Les Herbes Rouges)
9. Marcel Rioux, *La question du Québec*, essai (l'Hexagone)
10. Yolande Villemaire, *Meurtres à blanc*, roman (Les Herbes Rouges)
11. Madeleine Ouellette-Michalska, *Le plat de lentilles*, roman, préface de Gérald Gaudet (l'Hexagone)
12. Roland Giguère, *La main au feu*, poésie, préface de Gilles Marcotte (l'Hexagone)
13. Andrée Maillet, *Les Montréalais*, nouvelles (l'Hexagone)
14. Roger Viau, *Au milieu, la montagne*, roman, préface de Jean-Yves Soucy (Les Herbes Rouges)
15. Madeleine Ouellette-Michalska, *La femme de sable*, nouvelles (l'Hexagone)
16. Lise Gauvin, *Lettres d'une autre*, essai/fiction, préface de Paul Chamberland (l'Hexagone)
17. Fernand Ouellette, *Journal dénoué*, essai, préface de Gilles Marcotte (l'Hexagone)

Cet ouvrage
composé en Times corps 12
a été achevé d'imprimer
sur les presses de l'imprimerie Gagné
à Louiseville en janvier 1988
pour le compte des
Éditions Les Herbes Rouges

Imprimé au Québec (Canada)